Pe. Ferdinando Mancilio, C.Ss.R.

CATEQUESE PARA ADULTOS

Adultos Maduros na Fé

Fé → Jesus Cristo → Sacramentos → Igreja → Comunidade

EDITORA
SANTUÁRIO

DIRETOR EDITORIAL:
Marcelo C. Araújo

DIAGRAMAÇÃO:
Juliano de Sousa Cervelin

COORDENAÇÃO EDITORIAL:
Ana Lúcia de Castro Leite

CAPA:
Fernanda Barros Palma da Rosa

REVISÃO:
Lessandra Muniz de Carvalho

IMPRIMA-SE
Por comissão do Arcebispo Metropolitano de Aparecida,
Dom Raymundo Cardeal Damasceno Assis.
Pe. Carlos da Silva, C.Ss.R.
Aparecida, 30 de abril de 2011

Dados Internacionais de Catalogação na Publicação (CIP)
(Câmara Brasileira do Livro, SP, Brasil)

Mancilio, Ferdinando
　Catequese para adultos: adultos maduros na fé / Ferdinando Mancílio. – Aparecida, SP: Editora Santuário, 2011.

　ISBN 978-85-369-0229-6

　1. Adultos – Educação cristã 2. Catequese – Igreja Católica I. Título.

11-02471　　　　　　　　　　　　　　　　　　　　　　　　CDD-268.434

Índices para catálogo sistemático:
1. Adultos: Catequese: Cristianismo 268.434

3ª impressão

Todos os direitos reservados à **EDITORA SANTUÁRIO** – 2024

Rua Padre Claro Monteiro, 342 – 12570-045 – Aparecida-SP
Tel.: 12 3104-2000 – Televendas: 0800 0 16 00 04
www.editorasantuario.com.br
vendas@editorasantuario.com.br

SUMÁRIO

Introdução – 5
Primeira Parte: A FÉ – 7
    1. O que é a fé? – 9
    2. Abraão: Homem de fé – 13
    3. Moisés: Libertador do povo de Deus – 17
    4. Os Dez mandamentos: Defesa da vida – 21
    5. Os Profetas: Fidelidade ao Senhor – 25
    6. Nossa fé é em Jesus Cristo – 29

Segunda Parte: JESUS CRISTO – 33
    1. Jesus Cristo: Quem é Ele? – 35
    2. O nascimento de Jesus Cristo – 39
    3. A Palavra de Jesus – 43
    4. As ações de Jesus – 47
    5. Ele é o Messias – 51
    6. Ele é nossa salvação – 55

Terceira Parte: SACRAMENTOS – 59
    1. O que é sacramento? – 61
    2. Jesus Cristo: Sacramento do Pai – 65
    3. Os sete sacramentos – 69
    4. Sacramentos da iniciação cristã: Batismo, Crisma, Eucaristia – 73
    5. Sacramentos da vida adulta: Penitência, Matrimônio, Ordem, Unção dos Enfermos – 77
    6. Os sacramentos em nossa vida – 81

Quarta Parte: IGREJA – 85
   1. O que é a Igreja? – 87
   2. Igreja visível – 91
   3. Igreja peregrina e do céu – 95
   4. Igreja Povo de Deus – 99

Quinta Parte: COMUNIDADE – 103
   1. O que é Comunidade? – 105
   2. Jesus e os Apóstolos – 109
   3. Os Apóstolos e a Igreja – 113
   4. O cristão vive em Comunidade – 117

Sexta Parte: COMPROMISSOS IMPORTANTES
         NA VIDA DO CRISTÃO – 121
   1. Compromisso cristão com a História – 123
   2. Compromisso cristão com o irmão – 125
   3. Compromisso cristão com a sociedade – 127
   4. Compromisso cristão com a política – 129
   5. Compromisso cristão com a justiça – 131
   6. Compromisso cristão com os pobres – 133
   7. Compromisso cristão com a cultura – 135
   8. Deus conta comigo: seu chamado – 137

Sétima Parte: PONTOS IMPORTANTES
         DA FÉ CRISTÃ – 139

Oitava Parte: A VIVÊNCIA CRISTÃ – 145

Introdução

CATEQUIZAR: desafio e grandeza...

Adultos maduros na fé é um livro de catequese para pessoas adultas, que por vários motivos não tiveram oportunidade de aprender e apreender um pouco mais de uma fé esclarecida e madura.

Não há dúvida de que a catequese nos leva à firmeza da fé, pois nos faz compreender o sentido da vida e do mistério amoroso de Deus.

Justamente por isso oferecemos este subsídio catequético: para ajudar os adultos a descobrir e redescobrir a presença amorosa de Deus em sua vida.

A catequese é como uma árvore plantada, que aos poucos, dia a dia, vai firmando suas raízes, até ganhar tal grandeza que, venha vento ou chuva, tempestade ou calmaria, ela permanece firme e forte. Assim, pois, é nossa vida bem formada na fé.

Este subsídio deseja que se compreenda bem cada tema proposto. Por isso, além do que é próprio de cada tema, traz algum aspecto para a vivência pessoal.

Catequese não é teoria, é vida na vida da gente. Sabemos que muitos catequistas, com toda a boa vontade em seus trabalhos catequéticos com adultos, não possuem um material mais adequado que lhes facilite a ação evangelizadora.

Foi com o intento de ajudar os catequists que nasceu este subsídio. Admiro o empenho dos catequistas nesse trabalho evangelizador, por isso, rogo a bênção do céu para eles. Que o Senhor os carregue na palma de sua mão, e Nossa Senhora os ampare sempre!

Primeira Parte

A FÉ

1. O que é a fé?

2. Abraão: Homem de fé

3. Moisés: Libertador do povo de Deus

4. Os dez mandamentos: Defesa da vida

5. Os Profetas: Fidelidade ao Senhor

6. Nossa fé é em Jesus Cristo

1
O QUE É A FÉ?

Conversando

"*Os discípulos chegaram perto de Jesus e perguntaram-lhe em particular: 'Por que não conseguimos expulsar o demônio?' Ele respondeu: 'Porque é pequena vossa fé, pois, na verdade vos digo: se tiverdes fé do tamanho de uma semente de mostarda, podereis dizer a este monte: Sai daqui para lá, e ele sairá, e nada vos será impossível'*" (Mt 17,19-21).

Já aprendemos que a fé é a força de Deus dentro de nós. Porém, se está dentro de nós, ela também transborda, ou seja, é impossível a força de Deus permanecer somente dentro de nós.

O próprio Cristo reconhece os que têm fé e nele confiam. Ele até elogia o homem que confiou plenamente nele: *"Na verdade vos digo que em Israel não encontrei em ninguém uma fé tão grande assim"* (Mt 8,10).

Mas há sempre o outro lado da moeda, como costumamos dizer. Muita gente ouvia Jesus, como hoje ouvimos sua Palavra. Ela chega até nós de muitos modos. A dificuldade é se nós a acolhemos, se prestamos atenção no que ela nos diz. Por isso, Jesus também chama a atenção pela falta de fé: *"Será que Deus não fará justiça a seus escolhidos, que dia e noite gritam por ele? Vai demorar a socorrê-los? Eu vos digo que lhes fará justiça bem depressa. Mas, quando o Filho do homem vier, encontrará fé aqui na terra?"* (Lc 18,7-8).

"Jesus apareceu aos próprios onze quando estavam à mesa, e repreendeu-os por sua incredulidade e dureza de coração, porque não tinham acreditado naqueles que o viram ressuscitado" (Mc 16,14).

A fé é crer profundamente não numa teoria ou filosofia, mas numa PESSOA: Jesus, o Filho de Deus que veio morar entre nós! Ele é nosso Salvador!

Há tantos outros momentos, nos quais Jesus pediu a fé ou elogiou as pessoas que nele colocavam sua fé, sua esperança. Mas também nunca deixou de chamar a atenção quando faltavam com a fé, até mesmo os próprios discípulos.

Compreendendo

A fé é dom de Deus, ou seja, é Deus mesmo quem nos dá a graça de crer nele.

A Palavra de Deus é a fonte de onde nos vem a fé. Lendo e meditando a Sagrada Escritura escutamos o que Deus nos fala, e cremos nele. Da Palavra do Senhor nos vem a fé.

Estamos vivendo o tempo do Novo Testamento. Por isso o texto da Sagrada Escritura que deve nos orientar mais como cristãos é o EVANGELHO. Jesus é a Palavra de salvação, e é dele que nos vem a fé. Ele é o cumprimento de toda a Sagrada Escritura, e por isso não pode mais haver dúvidas no coração do cristão.

A vida de COMUNIDADE é fundamental para o cristão viver sua fé, pois é assim que Cristo deseja que vivamos. Quem acha que pode viver a fé sozinho sem se unir aos outros, está apenas nascendo para a fé. A fé verdadeira nos compromete na vida de comunidade.

Vivendo

A fé não é uma teoria. A fé é a união a uma PESSOA, que se chama JESUS CRISTO! Nele, com Ele e por Ele vivemos e encontramos a verdadeira paz. A FÉ não está separada da vida nem a vida da fé. Seja qual for a situação que estivermos vivendo, de alegria ou de dor, de esperança ou de dificuldades, devemos nos alimentar da fé em Cristo. Ele já nos lembrou: *"Sem mim nada podeis fazer"* (Jo 15,5).

DINAMIZANDO

A fé nos faz realizar a grande experiência de Deus, ou seja, sentirmos sua presença, nos relacionarmos com Ele, o amarmos. Nossa preocupação em vivê-lo está sempre presente.
— *Será bom neste momento que as pessoas falem de sua experiência de Deus. Alguém poderá expor para todos algum fato em que sentiu a presença tocante de Deus em sua vida!*

2
ABRAÃO: HOMEM DE FÉ

Conversando

Deus vem ao nosso encontro e jamais nos abandona em nossos anseios. Ele é o Deus da vida.

Abraão vivia sossegado em sua terra. Já idoso, havia construído tudo o que foi possível em sua vida. Mas Deus lhe faz uma exigência, apesar de sua idade. *"Deus disse a Abraão: 'Sai de tua terra, de tua família e da casa de teu pai, e vai para terra que te mostrarei. Farei de ti uma grande nação e te abençoarei; engrandecerei teu nome e tu serás uma bênção... Em ti serão abençoadas todas as famílias da terra'"* (Gn 12,1-3).

O que Abraão fez? Reagiu contra esse pedido que Deus lhe fez? Não! Sua fé era exemplar. Abraão obedece ao chamado de Deus, deixa sua terra, sua família, e parte para a terra que Deus lhe mostrou. Tornou-se assim nosso pai na fé.

Um dia estava sentado debaixo de uma árvore e recebeu uns visitantes. Ele os acolheu bem, pois acolher a pessoa era acolher a Deus, assim entendia o povo hebreu (cf. Gn 18,1-15). Um ano depois, nasceu Isaac, o filho da promessa. Mas Deus coloca Abraão novamente à prova. Pede-lhe para sacrificar seu único filho, Isaac. *"Toma teu filho, teu único filho, que tanto amas, Isaac, e vai à terra de Moriá e oferece-o em holocausto sobre um monte que te indicarei"* (Gn 22,2).

Mesmo diante desse drama, Abraão não hesita em cumprir o que Deus lhe havia pedido. Claro que Deus não vai permitir que ele sacrifique seu filho Isaac. Abraão procurou fazer o que Deus lhe pedia, mesmo com o coração apertado (cf. Gn 22,3-19).

Provado por Deus, Abraão tornou-se pai de todo o povo de Deus. O próprio Deus vai lhe confirmar essa descendência: *"Esta é minha aliança contigo: serás pai de uma multidão de nações. Não mais se chamarás Abrão, mas teu nome será Abraão, porque te farei pai de uma multidão de nações..."* (Gn 17,4-5).

Deus chamou *Abrão* de *Abraão*, que significa pai de todo um povo, o povo de Deus. O nome significa uma orientação de vida.

Compreendendo

A história de Abraão tem a ver com nossa vida. Quando nos fazemos obedientes à vontade de Deus, tudo se transforma em nós e em nossa volta. A desobediência é o contrário da fé, é estar longe de Deus, afastar-se dele. A fé nos conduz para "dentro" de Deus, ou seja, nos conduz para dentro de seu amor. E aí toda pessoa se realiza plenamente. Isso não significa ausência de dificuldades e de sacrifícios, mas é muito diferente para quem os vive a partir de sua fé, na obediência a Deus. Abraão nos mostrou o jeito de viver as dificuldades na *obediência* a Deus.

O caminho pelo qual o cristão adulto deve andar é igual ao de Abraão. Hoje, nós nos unimos em comunidade para viver, compreender e celebrar nossa fé. Somos agora o novo povo de Deus, formado por Cristo, o povo da nova Aliança. A fé exige vivê-la como irmãos verdadeiros, dentro de uma comunidade cristã.

Vivendo

Abraão descobriu o rosto de Deus em sua obediência a Ele. Nós, cristãos formados pelo Evangelho de Cristo, precisamos descobrir o rosto de Cristo nos irmãos mais sofredores, nos pobres e abandonados. Ali o Cristo se revela a nós. É só conferir o que está em Mt 25,35-36.

A fé é dom de Deus, mas um dom vivido no amor aos irmãos e irmãs. Se não vivemos no amor, na obediência ao Senhor, ainda nos falta muito para viver a fé verdadeira. Abraão viu que valia a pena sacrificar até seu próprio filho por causa de sua fé. Nós, cristãos, devemos saber que vale a pena viver a fé na descoberta do rosto de Cristo, refletido em cada pessoa, em nossos irmãos.

Dinamizando

Abraão fez uma grande experiência de Deus. Escutou sua Palavra e pôs-se a cumprir o que o Senhor lhe pediu.

— *O que você entende por chamado de Deus? Você já sentiu de modo mais intenso algum chamado de Deus em sua vida? Quando e como foi esse momento? Converse com as pessoas sobre isso!*

3
MOISÉS: LIBERTADOR DO POVO DE DEUS

Conversando

Moisés estava muito tranquilo pastoreando o rebanho de seu sogro, Jetro. Foi nessa ocasião que viu no alto da montanha um fogo queimando sem nada consumir. Curioso, aproximou-se dele, e Deus lhe deu uma missão: *"Deus disse: 'Não te aproximes daqui! Eu sou o Deus de teu pai: o Deus de Abraão, o Deus de Isaac e o Deus de Jacó. Eu vi, eu vi a miséria de meu povo no Egito e ouvi o clamor que lhe arrancam seus opressores; sim, conheço suas aflições. Desci para libertá-lo das mãos dos egípcios e levá-lo daquela terra para uma terra boa e espaçosa... agora, pois, vai! Eu te envio ao faraó para que tires do Egito meu povo, os israelitas'"* (Êx 3,5-10).

Moisés não esperava por isso. Ficou inseguro, com medo. Por isso ele diz: *"Quem sou eu para ir ao faraó e tirar do Egito os israelitas?"* (Êx 3,11).

Ele estava apenas pastoreando o rebanho e ganha uma missão, não muito fácil, de organizar e libertar o povo que estava oprimido no Egito. Deus não o abandona, pois se o chamou também o prepara para a missão. Por isso, diz-lhe: *"Eu estarei contigo!"*

Moisés vai assumir a difícil missão, pois sabe que Deus está com ele. Há um povo que está escravizado e não pode jamais ser desprezado. Alguém chamado por Deus se dispõe a libertar o povo oprimido. Foi Moisés quem escutou o chamado de Deus e se pôs a seu serviço.

O povo de Israel era uma multidão escrava nas mãos de uma pessoa, o faraó, que defendia somente seus interesses egoístas. Deus faz com este povo uma aliança de amor, por meio de Moisés, libertando-o da dor, do sofrimento, da escravidão. A história da libertação do povo de Israel é muito importante, ontem e hoje, pois é a história do povo eleito.

Compreendendo

A história da libertação do povo de Israel é modelo da intervenção de Deus em favor de seu povo. Devemos recordar sempre esta história na realidade de nosso povo hoje.

O Novo Testamento é a história do novo povo de Deus, agora libertado por Jesus, o "novo Moisés". Ele veio para nos libertar de toda e qualquer escravidão. Somente nele é que nos tornamos verdadeiramente livres. São Paulo, na Carta aos Gálatas, nos diz: *"Foi para ficarmos livres que Cristo nos libertou. Continuai, portanto, firmes e não vos deixes prender de novo ao jugo da escravidão"* (Gl 5,1).

A lei maior a que devemos sempre estar atentos é a do amor e a da liberdade. Liberdade é a verdade que nos faz viver, e não nos deixa ser escravos das coisas que ocupam seu lugar em nossa vida. Esse desejo da verdadeira liberdade deve tomar conta de nós. A vontade de Deus será sempre o da liberdade, pois foi para a liberdade que Ele nos criou. A perfeita liberdade está em Cristo e em seu Evangelho (cf. Tg 1,25).

Vivendo

Deus visitou Moisés, como vimos, quando ele pastoreava o rebanho de Jetro. Em seu mistério de amor Ele está sempre presente junto de nós, seu povo. Assim como fez uma Aliança com seu povo, libertando-o da opressão por meio de Moisés; agora por seu Filho, Jesus Cristo, nosso libertador, Deus nos oferece uma nova e definitiva aliança. Deus não brinca conosco, e nos dá o que lhe é mais sublime: seu Filho Jesus Cristo. Ele é o verdadeiro salvador e libertador.

Quem nele confia, e procura viver o que Ele ensina, encontra a vida, a paz, a harmonia e a salvação. Longe dele só estão presentes a opressão e o egoísmo. Amando a Deus, vivendo o Evangelho de Jesus, e unidos na comunidade, devemos lutar pela libertação de tantos irmãos e irmãs que sofrem opressão em nossos dias. A fé vivida nos liberta e nos faz libertar os outros.

Dinamizando

Moisés foi chamado por Deus para libertar o povo de Israel que estava oprimido no Egito. Jesus é o "novo Moisés", o único e verdadeiro libertador, que estabelece conosco uma aliança definitiva.

— *Provocar um debate entre os participantes sobre as situações de opressão do povo, hoje, e dar exemplos em que o povo organizado defendeu seus direitos de cidadãos e a dignidade das pessoas.*

4

OS DEZ MANDAMENTOS: DEFESA DA VIDA

Conversando

A história de Moisés junto do povo de Israel é muito bonita. Nós a encontramos no Livro do Êxodo. Em um momento dessa história, Deus entrega para Moisés os Dez mandamentos. Desse modo, o povo, obedecendo ao Senhor, será um povo forte e livre. São os mandamentos da Lei de Deus:

1. Amar a Deus sobre todas as coisas.
2. Não tomar seu santo Nome em vão.
3. Guardar os domingos e dias santos.
4. Honrar pai e mãe.
5. Não matar.
6. Não pecar contra a castidade.
7. Não roubar.
8. Não levantar falso testemunho.

9. Não desejar a mulher (ou o marido) do próximo.
10. Não cobiçar as coisas alheias.

Deus quer que as pessoas vivam em harmonia e com grande respeito umas com as outras. Por trás dos Dez mandamentos está a defesa da vida, e por isso o quinto mandamento está no centro. O povo hebreu, quando se viu na liberdade, começou a se esquecer de sua história, e aí achou que não precisava mais de Deus. Mas sabemos que a vida não é assim, não é possível viver sem Deus. Sem Ele ninguém é feliz.

Esses mandamentos são chamados também de Decálogo, que quer dizer dez. São as "dez palavras" que Deus revelou a seu povo na montanha sagrada. Nós encontramos essas Dez palavras de Deus no livro do Êxodo e do Deuteronômio. O que não podemos nos esquecer é que essas Dez palavras vão encontrar seu sentido pleno e realizado na pessoa de Jesus. Ele é a Nova Aliança de Deus com seu povo. Por isso, os Dez mandamentos ou as Dez palavras de Deus, nós as encontramos no Evangelho de Jesus. Os Dez mandamentos e o Evangelho de Jesus estão entrelaçados.

Compreendamos, pois, o que eles significam para nós, para uma vivência cristã autêntica.

Compreendendo

Os Dez mandamentos não podem ser compreendidos como uma "camisa de força", que Deus coloca sobre nós. Não! Eles são diálogo de Deus com seu povo. É Deus quem nos orienta, é dele a palavra que nos interroga. E Deus age assim para nosso bem.

Quando nos dispomos a viver intensamente a fé, esses mandamentos deixados por Deus nos aproximam do Evangelho de Jesus. A lei maior para todo cristão é o Evangelho de Jesus. Então, se fizermos esforço para viver os Dez mandamentos, vamos nos encontrar com o Evangelho. E, se fizermos esforço para viver o Evangelho, vamos nos encontrar com os Dez mandamentos.

Mas o mais o importante é sabermos que Jesus elevou-os a sua plenitude.

Vivendo

O esforço do cristão em viver os Dez Mandamentos da Lei de Deus, que foram levados à plenitude por Jesus, aproxima-o do Evangelho. O que nos ensinam os Dez Mandamentos nós o encontramos no Evangelho. Mas o Evangelho é a plenitude de todos os mandamentos. Ele é a palavra definitiva de Deus sobre nossa humanidade, pois Jesus é a Aliança verdadeira e eterna de Deus para conosco.

Vale, pois, todo o esforço que fizermos para vivermos a fé em Cristo, que nos deu o grande mandamento do Evangelho, Palavra de salvação. Ele é o mandamento maior que devemos amar e escutar. Nele encontramos a vida em plenitude. Viver os Mandamentos da Lei de Deus é aproximar-se de seu filho Jesus. Por esse caminho que devemos todos andar!

DINAMIZANDO

Os Dez Mandamentos foram um modo do povo viver organizado na fé. Hoje, respeitamos esses mesmos mandamentos e também o Evangelho de Cristo, que é o mandamento maior.

— *Repassar os Dez Mandamentos com os presentes. Pedir para cada um dos participantes dizer o que cada mandamento diz para a vida do cristão.*

5
OS PROFETAS: FIDELIDADE AO SENHOR

Conversando

São dezesseis os profetas que encontramos na Bíblia. Foram pessoas escolhidas e chamadas por Deus para uma missão. Mas outros também são tidos como profetas. Por exemplo, Moisés (cf. Dt 34,10), Débora (cf. Jz 4,4), como também João Batista (cf. Mt 11,9). Eles vão falar em nome de Deus para o povo. São verdadeiros guias do povo de Israel, que muitas vezes desviou-se dos caminhos divinos. A palavra profeta significa o *porta-voz*. De quem eles são porta-vozes? De Deus, pois falam em nome de Deus. São os sentinelas do povo, atentos aos acontecimentos e às atitudes das pessoas. São pessoas escolhidas por Deus, que amam, e têm coragem de anunciar a verdade e a fidelidade divinas e de denunciar o que é contrário à vontade de Deus, apontando o caminho a ser seguido e encorajando o povo a andar no caminho certo.

Os profetas de Israel sempre lembraram para o povo a necessidade e a importância da *fidelidade* para com as promessas divinas. Foi Deus quem libertou o povo da escravidão e continua fiel a ele. Do mesmo modo, o povo precisa ser fiel a Deus para *viver na liberdade e não cair de novo na escravidão.*

Compreendendo

Todos os profetas bíblicos – ou seja, aqueles que se encontram na Bíblia Sagrada – desejam apenas uma verdade: *Mostrar o rosto de Deus, que é santo, justo e cheio de amor.* O profeta está sempre em contato com Deus, intercedendo por todo o povo e ao mesmo tempo falando ao povo sobre suas relações com Deus. Eles levaram adiante a missão que Deus lhes confiou.

Ninguém pode aventurar-se a ser profeta por si só. O profeta é chamado por Deus e é uma pessoa de Deus.

Nós, que vivemos no tempo do Novo Testamento, devemos escutar o que a Igreja nos diz. Ela é o profeta de nosso tempo. Sua palavra é Palavra de Deus no meio de nós, que nos exorta e nos aponta o caminho certo a seguir.

Vivendo

Assim como no Antigo Testamento o povo escuta a voz dos profetas, também em nossos dias devemos e precisamos escutar a voz da Igreja que nos fala, nos ensina e nos aponta o caminho pelo qual devemos passar. A comunidade cristã é sinal de cumprimento de toda a profecia de ontem e de hoje. Unidos, escutamos o Evangelho de Jesus e podemos dizer: "Ele está no meio de nós!".

Em nosso batismo já recebemos a mesma missão de Jesus, e por isso não nos deixamos atemorizar diante das dificuldades. Confiamos em Deus! Ele nos diz como disse a muitos profetas: "Eu estou contigo".

Dinamizando

Os profetas foram chamados por Deus para anunciar a verdade, a justiça, a fidelidade ao Senhor. Olhavam a história da humanidade para dizer o que estava e o que não estava de acordo com o plano de Deus.

— *Debater no plenário: A profecia é ficar vendo o futuro do mundo e das pessoas? A profecia hoje é viver o Evangelho de Cristo, unido na Comunidade, vivendo como irmãos de verdade! O que você acha disso?*

6
NOSSA FÉ É EM JESUS CRISTO

Conversando

*"Conhecereis a verdade,
e a verdade vos tornará livres"*
(Jo 8,32).

Jesus é o Filho querido do Pai. Ele é a realização de todas as promessas de Deus e a Ele devemos seguir. Ele veio para implantar o Reino de Deus entre nós e mostrou a infinita misericórdia de Deus para com nossa humanidade. Sem Ele *"ninguém chega ao Pai"* (Jo 14,6). Tudo o que Jesus fez manifesta a constante presença amorosa de Deus entre nós, seu povo.

Quando falamos da fé em Jesus Cristo, significa que Ele é o centro de nossa fé e o centro de toda a Sagrada Escritura, a Bíblia. A fé é dom de Deus. Ela nasce da escuta do Evangelho de Jesus. Certo dia Jesus disse para seus discípulos: *"Na verdade vos digo: 'se tiverdes fé e não duvidardes, fareis não só o que eu fiz com a figueira, mas até mesmo se disserdes a este monte: Sai daqui e lança-te ao mar, isso acontecerá. E tudo quanto pedirdes com fé na oração, vós o recebereis'"* (Mt 21,21-22).

Os discípulos foram chamados por Jesus para segui-lo bem de perto. Eles vão aprendendo pouco a pouco o ensinamento de Cristo. Depois vão assumir para valer tudo o que aprenderam de Jesus, a ponto de dar a vida por Ele. Eles foram todos martirizados, ou seja, morreram por causa da fé, como Jesus que também entregou sua vida para nos salvar.

Jesus é o centro da Bíblia e de nossa fé. Nele devemos depositar nossa confiança e nosso amor. Sem Ele não podemos fazer nada: *"Eu sou a videira e vocês são os ramos. Quem está unido a mim e eu a ele, esse dá muitos frutos, porque sem mim vocês não podem fazer nada"* (Jo 15,5).

Compreendendo

Deus nos deu uma inteligência capaz de discernir entre o certo e o errado, entre a verdade e a mentira. Ainda mais: nós temos o instinto natural da fé. Dentro de nós há um sentimento já plantado de amor e de respeito a Deus, mas que devemos cultivar. A fé precisa ser alimentada em nós por meio da Palavra de Deus, da participação na vida de Comunidade, da prática do bem e da caridade, da oração... Desse modo cada pessoa manifesta sua *confiança* no Senhor, que por nós entregou sua vida. Nossa *confiança*, e portanto nossa *fé*, é em Jesus Cristo.

É bom dizer também que há pessoas que têm sua *crença*. Mas crença não é fé, pois aceitam-se muitas coisas que estão longe da *fonte* verdadeira da fé que é Jesus e seu Evangelho.

Vivendo

A vida cristã exige a fé que é a plena confiança no Senhor Jesus Cristo. Nós a alimentamos escutando a Palavra de Deus, participando da missa, participando na Comunidade, rezando sempre, praticando o bem e a caridade. A fé nos faz ter o coração aberto para Deus e para os irmãos e suas necessidades. A fé incomoda e desacomoda a todos nós, pois nos leva à vida de amor para com as pessoas, à participação na comunidade e à escuta da Palavra de Deus.

A fé nos faz encontrar, experimentar e viver a presença de Jesus e de seu Evangelho no meio de nós. Toda pessoa de fé é, sem dúvida, uma pessoa feliz.

DINAMIZANDO

Não cremos em uma teoria, em uma filosofia ou em uma coisa qualquer. Nossa fé é em uma pessoa, e ela se chama Jesus Cristo!

— *Ler em voz alta, depois em silêncio* (por isso entregar o texto digitado para cada um dos presentes) *o texto do Evangelho: Lc 13,18-21.*

— *Confrontar a vida com o texto do Evangelho. Como podemos entender a vivência da fé?*

Segunda Parte
JESUS CRISTO

1. Jesus Cristo: Quem é Ele?

2. O nascimento de Jesus Cristo

3. A Palavra de Jesus

4. As ações de Jesus

5. Ele é o Messias

6. Ele é nossa salvação

1
JESUS CRISTO: QUEM É ELE?

Conversando

Jesus é o Filho de Deus. Ele foi concebido pelo Espírito Santo, no seio da Virgem Maria. Foi assim que Deus quis que tudo se realizasse. Ele quis manifestar seu amor infinito para conosco e escolheu este jeito de nos dar seu Filho Jesus: concebendo-o no seio da Virgem Maria, escolhida por Deus para ser a Mãe de Jesus. Deus poderia ter escolhido outro jeito para nos enviar seu Filho. Mas escolheu esse modo para nos mostrar que Jesus assumiu em tudo a condição humana, menos o pecado. Jesus estava junto do Pai e se revestiu de nossa humanidade para ser nosso Salvador. Ele é o divino, que assumiu o rosto, o jeito e o nome dos seres humanos, de modo que fôssemos capazes de compreendê-lo. Assumiu o jeito humano.

Ele nasceu em Belém, cresceu em Nazaré e anunciou o Evangelho da salvação no mundo. O que é a salvação? É a vida em plenitude que só Jesus pode nos dar, é a vida divina presente em nossa vida humana, é o humano que acolhe o divino que veio do céu.

Lendo e meditando os capítulos 1 e 2 de Lucas, qualquer pessoa poderá compreender esse grande mistério da encarnação do Filho de Deus no meio de nós.

Jesus foi humilde e assumiu com força sua vida neste mundo. Fez-se batizar por João Batista no rio Jordão (Mc 1,9-11). Foi ungido ou enviado pelo Espírito Santo (Lc 4,18-22) e anunciou com força a verdade do Reino (Mc 1,14-15). Para nossa salvação entregou sua própria vida (Mc 14,32-15,47).

Jesus é verdadeiro Homem e verdadeiro Deus, que espalhou por todo o mundo a graça da salvação (Rm 5,12). Somente nele podemos nos salvar e ter a vida em plenitude.

Compreendendo

A vinda de Cristo entre nós foi do desejo do Pai. Quando chegou a hora certa, Ele nos enviou seu Filho, que nasceu da Virgem Maria. Ele é o Filho amado do Pai. Nele Deus nos revelou, mostrou-nos todo o mistério de seu amor. Sem Ele ninguém pode salvar-se, ninguém pode chegar ao Pai. *"Eu sou o Caminho, a Verdade e a Vida. Ninguém chega ao Pai senão por mim"* (Jo 14,6).

Jesus amava o Pai, e tudo fazia em nome do Pai. Por causa de Jesus nos tornamos filhos de Deus. Por causa dele, o Pai nos adotou como seus filhos adotivos. Por isso, Jesus é nosso Irmão maior. Sendo nosso Salvador e Filho de Deus, só podemos seguir seus ensinamentos para alcançarmos a salvação eterna.

Vivendo

Um dia Jesus convidou os doze primeiros apóstolos para o seguirem bem de perto (cf. Mc 1,16-20; Mt 10, 1-4). Eles foram aprendendo de Jesus os ensinamentos, e depois o testemunharam até o martírio. Hoje, sabemos quem é Jesus e tudo o que Ele fez para nossa salvação. Vive longe dele quem não ama, e por isso não o acolhe em sua vida.

Hoje, somos os continuadores de Cristo, vivendo a fé, aceitando seu Evangelho e vivendo em Comunidade. Quem assim vive ou procura viver está em verdadeira comunhão com Deus e com os irmãos. Participa da vida e da mesma missão de Jesus, por causa do batismo recebido. Não pode faltar em nós o esforço para viver conforme o Cristo nos ensinou viver.

DINAMIZANDO

Jesus é o Filho de Deus, nascido da Virgem Maria. Ele é nosso Salvador. Sua Palavra, o Evangelho, é a Palavra de Salvação para a humanidade inteira.

— *Que importância você dá para Jesus Cristo em sua vida? (Conversem sobre isso).*

2

O NASCIMENTO DE JESUS CRISTO

Conversando

Jesus nasceu entre nós por meio da Virgem Maria, escolhida pelo Pai para ser sua Mãe. Ele se fez carne, ou seja, se fez Homem, para que assim conhecêssemos o amor de Deus. *"Nisto manifestou-se o amor de Deus por nós: Deus enviou seu Filho único ao mundo para que vivamos por Ele"* (1Jo 4,9). O nascimento de Jesus é a presença do amor infinito de Deus por nós. Quem nele crê tem a vida eterna. Jesus nascendo no meio de nós, fez-nos participar da vida divina. Nele nos tornamos verdadeiros filhos de Deus. Por essa razão, Ele assumiu nossa natureza humana. São João tem um modo muito bonito de compreender e de dizer sobre o nascimento de Jesus: *"E o Verbo se fez carne e veio morar no meio de nós"* (Jo 1,14).

Não podemos entender o nascimento de Jesus simplesmente como um fato qualquer. O nascimento de Jesus é o **verdadeiro acontecimento** entre nós. Um Deus se preocupou conosco e nos deu seu único Filho, o que lhe era mais precioso. Sem Ele não temos vida nem salvação.

Nossa fé na encarnação do Filho de Deus é o sinal, o distintivo, a marca de todo o cristão. Quem não o aceita não pode dizer que tem fé. A fé é a aceitação daquele que nasceu entre nós. É aceitar a pessoa de Jesus como Filho de Deus. Por isso, o nascimento de Jesus não é um acontecimento como tantos outros. Quando sabemos que Ele aproximou nossa humanidade da eternidade, somos levados a acolhê-lo com toda a força de nossa alma. É assim que devemos acolher o nascimento de Jesus: acolher para viver! Por isso, seu Natal deve acontecer todos os dias de nossa vida. Assim vive a pessoa que tem fé: fazendo esse esforço tão necessário para seu próprio bem.

Compreendendo

O apóstolo Paulo nos diz: *"Tende em vós o mesmo sentimento de Cristo Jesus. Ele tinha a condição divina, e não considerou o ser igual a Deus como algo a* que se apegar ciosamente. Mas esvaziou-se a si mesmo e assumiu a condição de servo, tomando a semelhança humana. E, achado em figura de homem, humilhou-se e foi obediente até a morte, e morte de cruz!" (Fl 2,5-8). São Paulo nos explica com profundidade o sentido do nascimento de Jesus entre nós. Ao mesmo tempo nos ensina como devemos acolhê-lo: tendo os mesmos sentimentos dele! O nascimento de Jesus foi do desejo do Pai, mas Jesus aceitou em tudo cumprir o que o Pai lhe confiou.

Vivendo

Para nossa vivência cristã do nascimento de Jesus, devemos estar atentos a uma verdade: o amor dele por nós. Jesus não é um ser qualquer, Ele é nosso Salvador. Por isso, viver o amor para com Ele é andar nos caminhos que Ele nos ensinou. Encontramos quem quer viver sem Deus, como se Deus atrapalhasse suas vidas. Mas negar Deus não anula a verdade do nascimento de Cristo entre nós, que foi por puro amor e para nossa salvação. Quem escolhe outro caminho para seguir, que não o de Jesus, é responsável por ele. Também não poderá dizer que não sabia que Cristo é o nosso Salvador. Somos responsáveis por nossas próprias escolhas.

DINAMIZANDO

Jesus nasceu em Belém. Nasceu pobre e humilde, na periferia da cidade. Como pobre viveu sua vida até o fim, oferecendo-nos sua própria vida.

— *Fazer um cenário ou uma encenação sobre o nascimento de Jesus. Para isso, pode-se tomar por base o trecho do Evangelho: Lc 2,1-21.*

3
A PALAVRA DE JESUS

Conversando

Jesus inaugurou no mundo o Reino de Deus. Ele o manifestou por meio de sua *Palavra*, de seus gestos, de suas atitudes e de sua própria vida. Tudo o que Jesus fez foi sinal do amor de Deus por nós. Jesus foi ao encontro dos pecadores, dos humildes, dos pobres e dos sofredores. Sempre esteve ao lado do povo sofredor. Ele veio para tirar a maldade do mundo e libertar os oprimidos por causa do pecado e das injustiças.

Jesus sempre tem uma *palavra* de conforto, de paz, de misericórdia para as pessoas que dele se acercam. Aqueles que eram menosprezados no mundo encontravam junto dele um lugar e uma palavra de conforto. Suas palavras eram palavras de vida eterna.

Nas passagens do filho pródigo, aquele que saiu de casa e gastou tudo numa vida fácil – Lc 15,11-32; de Zaqueu, que era um pecador público – Lc 19,1-10; do leproso que encontrou sua cura na palavra de Jesus – Lc 5,12-16; e em tantos outros momentos, vemos a *palavra* de Jesus curando e libertando as pessoas.

Jesus nos dá a prova de seu infinito amor para conosco, entregando-nos sua própria vida em sua morte na cruz. Sua *palavra* tornou-se vida em nossa vida. Por isso podemos dizer que Ele se alegra com todos os que escutam sua *palavra* e se voltam de verdade para Ele, que é nosso Salvador. A *palavra* de Jesus é vida em nossa vida.

Em Jesus Cristo toda pessoa encontra a paz e a salvação. Longe dele não há paz nem salvação. Podemos todos os dias experimentar seu amor: *"Onde abundou o pecado, superabundou a graça"* (Rm 5,15). Deus nos deu seu Filho Jesus, e Ele nos dá a *palavra* que nos leva para a eternidade e nos ensina a viver a eternidade já neste mundo. Agora a escolha é nossa.

Compreendendo

A *palavra* de Jesus chama-se Evangelho (= boa nova). Encontramos no Novo Testamento. Os evangelistas são quatro: Mateus, Marcos, Lucas e João. O que precisamos compreender e aceitar é que não há separação entre a pessoa de Jesus e o Evangelho. Os dois são a mesma verdade. Acolher o Evangelho é acolher Jesus; e acolher Jesus é acolher o Evangelho.

O Evangelho traz a vida, a palavra, a ação e as atitudes de Jesus. Mas ele não é um livro de história ou de filosofia. Ele é a Palavra de salvação para o homem e para a mulher. Ele é vida. É ensinamento de Cristo de como devemos viver aqui na terra, para alcançar o céu. Por isso, devemos olhar para o Evangelho sempre com uma atitude de fé. Só podemos compreender o Evangelho se o acolhemos com fé e com amor.

Vivendo

Toda pessoa de fé procura sempre consultar o Evangelho. Olhando o que ele diz, sabemos qual deve ser o caminho a percorrer. O Evangelho de Jesus está falando para nossa vida, e procurando compreendê-lo não vamos errar o caminho. Há muitos fatos e acontecimentos que nos mostram o jeito certo de agir diante das pessoas e dos fatos da vida.

O Evangelho é Palavra de salvação e por isso não podemos abandoná-lo, desprezá-lo ou tratá-lo como qualquer outra coisa desta vida. Precisamos ter grande amor para com a Palavra de Jesus, e isto significa vivê-la, pois ela é nossa salvação.

DINAMIZANDO

A palavra Evangelho significa *Boa Notícia*. É sempre nova e boa a notícia de que temos um Deus que nos ama e que nos deu seu Filho único para nossa redenção. A Palavra de Jesus chama-se Evangelho.

— *Escrever no quadro ou dizer o nome dos quatro evangelistas e pedir que os participantes encontrem onde eles estão na Bíblia. A partir daí dar orientações sobre a formação e composição da Bíblia, suas grandes divisões (AT e NT) e as razões dessas subdivisões.*

4
AS AÇÕES DE JESUS

Conversando

O cristão não deixa de ler, meditar e rezar o Evangelho de Jesus. Nele encontramos o ensinamento de Cristo. Sua Palavra que nos conforta e nos fortalece. As *ações* de Jesus nos mostram quem Ele é e nos fazem compreender a presença do Reino entre nós. Cada gesto, cada palavra, e *ação* de Jesus nos apontam para a verdade do homem e da mulher neste mundo. Quem procura viver longe de Deus, mais cedo ou mais tarde experimentará o fracasso, pois sem Deus a vida não tem sentido.
Vejamos algumas ações de Jesus
que trouxeram vida e salvação:

– Devolve a vida à moça que havia morrido – Mt 9,18-19.23.25.

– Cura a mulher doente há muito tempo – Mt 9,19-22.

– Acolhe um pecador público – Lc 19,1-9.

– Liberta quem está oprimido – Mc 7,31-37.

– Sua misericórdia nos faz enxergar de novo – Mc 10,46-52.

Além desses fatos da *ação* de Jesus, aquilo que Ele disse na sinagoga de Nazaré nos faz compreender para que Ele veio entre nós. Basta ler e meditar Lc 4,18-22.

Jesus não era um político como os que conhecemos. Sua palavra era verdadeira, autêntica, sem fingimento. Defendeu, do começo ao fim de sua vida, os pobres e os oprimidos, os doentes e os excluídos. Entregou sua vida para que tivéssemos a vida divina em nós.

A ação de Jesus não é o fazer muitas coisas, mas colocar a salvação bem ao alcance de todas as pessoas. Ninguém precisa ficar longe dele, porque Ele está sempre perto de nós.

A vida de Jesus foi uma entrega total em favor de nossa humanidade e de nossa salvação. Tornou transparente a verdade de Deus no mundo. Muitos não gostaram do que Ele fez, por isso o condenaram à morte. Mas quem quer viver, encontra nele a vida hoje e sempre.

Compreendendo

Jesus aproximou-se de nós trazendo a eternidade para o meio de nossa humanidade. Ele assumiu nossa inteira humanidade para nos fazer verdadeiramente humanos. Veio para libertar e salvar o que é verdadeiramente humano. Quando vemos situações de degradação do ser humano, devemos entristecer-nos porque isso é contra a vontade de Deus. Existiam muitas situações religiosas no tempo de Jesus, que não ajudavam as pessoas. Ao contrário, oprimiam-nas, com os preceitos da Lei, que estavam acima das pessoas. Jesus coloca as pessoas em primeiro lugar, e as leis tornaram-se relativas. Por isso, Ele vai dizer que "o sábado foi feito para o homem, e não o homem para o sábado" (Mc 2,27-28). Compreendemos, pois, que a ação de Jesus é para nos libertar.

Vivendo

Como devemos agir neste mundo? Devemos agir do jeito de Jesus: indo ao encontro das pessoas e as ajudando a superar suas dificuldades por meio do diálogo. Devemos estar sempre prontos para amar e libertar as pessoas. O cristão que está ao lado ou favorece as decisões que oprimem as pessoas, não está sendo cristão de verdade. O jeito de Jesus deve ser o jeito do cristão também. Não há diferença, pois o batismo que recebemos, faz-nos assumir a mesma missão de Jesus no mundo. Por isso, ajudemos a libertar as pessoas e não oprimi-las.

Dinamizando

Jesus tinha predileção para com os pobres, os doentes, os pecadores e os oprimidos. Procurava devolver-lhes a vida e a dignidade.

— *Usando algum trecho do Evangelho que fale da libertação das pessoas (por exemplo, Lc 9,37-43), comparar com situações reais de nosso povo e que necessitam de resgate da dignidade das pessoas.*

5
ELE É O MESSIAS

Conversando

Quando o Anjo Gabriel apareceu em Nazaré, na casa de Maria, foi um grande dia. Em sua humildade, ela não esperava por tão grande missão. No início Maria ficou um pouco confusa, sem entender direito o que estava acontecendo, mas dispôs-se inteiramente nas mãos de Deus: *"Eis aqui a serva do Senhor, faça-se em mim segundo tua palavra"* (Lc 1,38).

No encontro com Maria, o Anjo Gabriel diz: *"O Espírito Santo descerá sobre ti e a força do Altíssimo te cobrirá com sua sombra. Por isso, o Santo que vai nascer será chamado Filho de Deus"* (Lc 1,35).

Desde aquele momento da concepção de Jesus, por obra do Espírito Santo, Maria se tornou a primeira morada de Deus na terra. Ela é o texto vivo da presença de Deus no meio de nossa humanidade. Ela tornou-se a Mãe do *Messias,* ou seja, *aquele que é o enviado de Deus.*

Um dia Jesus foi à sinagoga de Nazaré e proclamou: *"O Espírito do Senhor está sobre mim porque Ele me ungiu para evangelizar os pobres, mandou-me anunciar aos cativos a libertação..."* (Lc 4,18-22). Tudo o que Jesus realizou em sua vida inteira, foi conduzido e inspirado pelo Espírito Santo. Suas ações, seus gestos, suas palavras e atitudes são frutos do mesmo Espírito e de sua obediência ao Pai. Jesus tudo fazia por amor e por obediência ao Pai. Por isso, Ele foi fiel até o fim.

Desse modo Jesus cumpriu todas as promessas do Antigo Testamento, promessas que Deus fez, por meio dos profetas, de nos enviar o Salvador. Ele é agora a nova e eterna Aliança de Deus com seu povo. Não há mais dúvida: Deus amou nossa humanidade em seu Filho Jesus Cristo, o *Messias,* o enviado de Deus para ser o nosso Salvador.

Compreendendo

Messias significa *aquele que foi ungido pelo Espírito do Senhor!* Na antiguidade os reis eram ungidos para reinar sobre um povo. No tempo dos profetas, principalmente dos profetas Isaías e Daniel, chamavam de Messias àquele que seria o futuro libertador do povo de Israel. Por isso, quando Jesus veio ao mundo, o povo o reconheceu como o Messias prometido por Deus. Jesus se manifesta como nosso verdadeiro Salvador. Ele é o verdadeiro sacerdote, profeta e rei de todo o povo.

Vemos assim a maneira como Deus foi trabalhando o coração da humanidade até chegar o momento oportuno para nos enviar seu Filho Jesus. Por isso, o apóstolo São Paulo nos diz: "Quando chegou a plenitude dos tempos, Deus enviou seu Filho, nascido de uma mulher, nascido sujeito à lei, para resgatar os que estavam sujeitos à lei, a fim de recebermos a adoção filial" (Gl 4,4). Plenitude dos tempos é a hora que Deus estabeleceu para nos dar seu único Filho, Jesus.

Vivendo

A história da salvação culmina com a vinda de Jesus em nosso meio. Somos hoje o povo de Deus reunido por sua Palavra. Já não somos como o povo que esperava o Messias, pois sabemos que Jesus é o Messias. Nele, colocamos nossa vida inteira. Nele, temos a vida em plenitude, a salvação. Não temos de esperar outro Messias. Jesus é o verdadeiro Salvador da humanidade. Quem o despreza, despreza a própria salvação que o Pai nos deu por Ele. Cabe a nós amá-lo sem medida e viver o que Ele nos ensinou em seu Evangelho.

Dinamizando

Messias significa "aquele que é esperado" como libertador do povo. Os profetas falaram da vinda do Messias. Isso se realiza na pessoa de Jesus, que veio para nos salvar.

— *Conversar com os presentes sobre as situações que oprimem o povo e que necessitam de libertação. Como hoje podemos ajudar as pessoas a se libertarem, assumindo o compromisso com o Reino de Deus?*

6
ELE É NOSSA SALVAÇÃO

Conversando

O evangelista São João nos lembrou que *"ninguém tem maior amor do que aquele que dá a vida por seus amigos"* (Jo 15,13). Foi o que fez Jesus.

O Pai em seu propósito de amor não teve dúvida de nos enviar seu único Filho Jesus, que se entregou plenamente pela nossa salvação. Ele não duvidou em fazer de sua vida uma *oferta* para nossa salvação.

Jesus sofreu as duras *misérias* deste mundo, foi rejeitado e os homens decidiram por sua morte. Preferiram fazer calar a voz da verdade, como se fossem capazes disto, mas se enganaram. A verdade não morre nem se cala. *"Podeis destruir este templo, que em três dias eu o levantarei de novo"* (Jo 2,19). Jesus não falava do templo de pedras, mas de si mesmo, como verdadeiro templo onde mora Deus no meio da humanidade. O povo não entendeu e se revoltou contra Ele. Mas, depois de sua morte, Ele ressuscitou dentre os mortos.

Nunca ninguém falou neste mundo como Jesus. Sua Palavra é eterna, é Palavra de salvação. No Evangelho vemos a Palavra de Jesus que nos salva e que foi rejeitada por muitos. Mas aqueles que a acolheram foram salvos.

Jesus é o humilde Salvador. Na véspera de sua paixão e morte, Ele se reuniu com seus discípulos e celebrou com eles a páscoa. Lavou-lhes os pés, deu-lhes o exemplo de *serviço* e de *humildade*. *"Se eu que sou o Senhor e o Mestre vos lavei os pés, vós também deveis lavar-vos os pés uns aos outros. Pois eu vos dei o exemplo, para que façais como eu fiz"* (Jo 13,14-15). O Salvador não duvidou em abaixar-se até à altura de nossos pés por causa de seu amor para conosco. Ele é nossa salvação.

Compreendendo

Jesus vive entre nós. Nós o encontramos nos gestos de amor, nas atitudes de solidariedade e na união entre irmãos. Ele viveu e agiu no mundo com plena liberdade. Não se deixou intimidar pela oposição que fizeram a sua pregação e nos apresentou um novo projeto de vida: o Reino. Ele sabia que passaria pelo caminho da prisão, do julgamento, da condenação e da morte na cruz. Mas não deixou, por isso, de anunciar a verdade. Foi até o fim por sua fidelidade ao Pai e por seu amor por nós. Morrendo, não permaneceu na morte. O Pai o ressuscitou dos mortos. Sua ressurreição marcou para sempre a vida de todos nós. Nela está a certeza de nossa ressurreição. Jesus é nossa salvação, sem Ele não há vida nem paz.

Vivendo

Jesus vive entre nós. Não o vemos fisicamente, mas Ele está presente no meio de nós com seu amor e sua misericórdia, por meio de sua Palavra, do sacramento da Eucaristia e de todos os sacramentos que celebramos. Jesus disse que estaria presente, quando dois ou mais estivessem reunidos em seu nome (cf. Mt 18,20). Assim, animados na mesma fé, nos reunimos em comunidade para celebrar, viver e escutar o que o Senhor sempre tem a nos dizer por meio de sua Palavra. O Evangelho é a Palavra maior de toda a Bíblia porque é a Palavra de Salvação. Vivamos, pois, nessa certeza de termos um Deus que veio morar entre nós e nos deu sua própria vida. O nome de nossa salvação é Jesus!

DINAMIZANDO

Jesus é nossa salvação. Ele cumpriu sua missão até o fim, sendo fiel ao Pai. Ninguém é capaz de negar essa verdade de Cristo.

— *O que transmite para você a frase: "Eu sou o Caminho, a Verdade e a Vida?" Conversar sobre este assunto.*

Terceira Parte
SACRAMENTOS

1. O que é sacramento?

2. Jesus Cristo: Sacramento do Pai

3. Os sete sacramentos

4. Sacramentos da iniciação cristã: Batismo, Crisma, Eucaristia

5. Sacramentos da vida adulta: Penitência, Matrimônio, Ordem, Unção dos Enfermos

6. Os sacramentos em nossa vida

1
O QUE É SACRAMENTO?

Conversando

Os sacramentos são uma verdade de Cristo Salvador, verdade de fé. A palavra sacramento significa *sinal*. Os sacramentos são sinais visíveis da presença de Cristo entre nós. É a verdade redentora de Cristo que penetra nossa vida e nos transforma. Sua verdade nos liberta, enche-nos de amor e nos faz membros vivos, presentes e atuantes na Igreja. Quando celebramos um sacramento bebemos da fonte de nossa salvação que é Jesus Cristo. Por meio dos sacramentos, realizamos um encontro pessoal com Cristo. Esse encontro se dá por meio dos sinais sacramentais, sinais sensíveis que revelam que Cristo está agindo em nós.

Todos os sacramentos nasceram de Cristo, de sua Palavra. Não foram inventados por alguém. Por isso a Igreja não só cuida, mas nos incentiva para que os recebamos com fé. Como é bonito cada sacramento que celebramos. Por meio deles recebemos a vida divina. Esta é a certeza de que o Senhor não nos abandona jamais. Está sempre presente em nossa vida. Quem nos ama não nos abandona.

Como viver os sacramentos? Como faziam as primeiras Comunidades cristãs que *"perseveravam na doutrina dos apóstolos, na vida em comunidade, na fração do pão e nas orações"* (At 2,42).

É preciso, pois, compreender cada vez mais a riqueza dos sacramentos da Igreja para que possamos viver do melhor modo possível nossa vida cristã, buscando a santificação.

Compreendendo

Os sacramentos foram deixados por Cristo para que por meio deles vivamos em sua presença e alcancemos a redenção, a salvação. Eles nos trazem a graça de Deus e nos comunicam a vida divina. Podemos dizer que os sacramentos são o modo que Deus utiliza para nos manifestar seu amor. Os sacramentos são sete: Batismo, Eucaristia, Confirmação (ou Crisma), Penitência, Unção dos Enfermos, Ordem e Matrimônio. Eles estão presentes do início até o declínio de nossa vida. Isso significa que Cristo estará sempre presente em nossa existência. Essa consciência da presença de Cristo em nossa vida deve nos motivar a viver com alegria e seriedade cada sacramento. Temos de celebrá-los com toda a força de nossa fé.

Vivendo

Em nossa vida sempre temos de contar com a graça de Deus, que, em seu amor por nós, está sempre disposto a nos estender suas mãos divinas para nos amparar. Nosso amparo é seu amor e sua misericórdia.

O cristão consciente da verdade de Deus não despreza nenhum dos meios que a Igreja apresenta para nossa salvação. É preciso conhecer bem os sacramentos, para vivê-los do melhor modo possível. Cada cristão deve buscar isso com empenho. Desse modo crescerá em quem os busca verdadeiramente a maturidade da fé e da vida humana. O cristão tem um jeito certo de viver, o jeito que Cristo mesmo nos ensinou a viver.

DINAMIZANDO

Os sacramentos são sinais pelos quais Deus nos manifesta seu amor, sua graça, sua presença junto de nós. Compreendê-los e celebrá-los é muito importante para nós todos.

— *Apanhar recortes de jornais ou de revistas que mostram as pessoas em campos de futebol, em festas, em shows, como também em celebrações, em encontros da Comunidade. Mostrar a diferença que há entre tomar parte numa* **multidão** *e ser* **povo**, *povo de Deus.*

2

JESUS CRISTO: SACRAMENTO DO PAI

Conversando

Quando dizemos que Jesus Cristo é o Sacramento do Pai, devemos compreender que Ele é o maior sinal do amor de Deus por nós. Ele veio de junto do Pai, e tem a missão de cumprir todas as promessas que o Pai havia feito a seu povo, bem como anunciar a chegada do Reino entre nós. *"Completou-se o tempo, e o Reino de Deus está perto. Convertei-vos e crede no Evangelho!"* (Mc 1,15).

Por meio de Jesus, o Pai vem ao encontro de todos nós e realiza sua salvação. Só em Jesus encontramos a salvação. *"Na verdade, na verdade, te digo: se não nascer do alto, ninguém pode ver o Reino de Deus"* (Jo 3,3). Por meio de Jesus Cristo, o Pai reconcilia o mundo consigo e, consequentemente, com cada um de nós. Ele assumiu nossa vida, nossa condição humana, menos o pecado. Anunciou o Reino entre nós. Por nós deu sua vida e nos comunicou sua vida divina, por meio de sua paixão, morte e ressurreição. Nos Atos dos Apóstolos encontramos que: *"Não existe debaixo do céu outro nome dado aos homens pelo qual devamos ser salvos"* (At 4,12).

Por esse motivo e muitos outros, Jesus é o sacramento do Pai. Crer nele é tê-lo como verdadeiro Deus e Senhor, como verdadeiro sacramento, sinal do infinito amor de Deus por nós, sem o qual não podemos nada.

Compreendendo

O nome de Jesus significa: *"Deus que salva"*. O nome Cristo significa: *"Ungido ou Messias"*. Por isso, Jesus Cristo é aquele que foi enviado pelo Pai, ungido para uma missão: a de salvar todos os homens e mulheres. Ele é o Caminho, a Verdade e a Vida, e sem Ele ninguém poderá chegar bem junto do Pai (cf. Jo 14,6). Cristo é o amor de Deus, que em sua pessoa chegou até nós, para nos dar a conhecer a salvação. *"Pois Deus amou tanto o mundo, que deu seu Filho único a fim de que todo que crer nele não pereça, mas tenha a vida eterna"* (Jo 3,16). Veja que oferta o Pai nos dá: seu único Filho, que veio morar entre nós, nos dar seu amor e nos mostrar o caminho do céu. Por isso, Jesus Cristo é o sacramento, o sinal do amor infinito de Deus por nós. Sem Ele não há amor verdadeiro.

Vivendo

Jesus é o centro de nossa vida e deve ser nossa preocupação de todos os dias. Buscá-lo sem cessar é nossa missão cristã. Para sermos cristãos verdadeiros, Ele deve ser o centro de nossa vida. Ele quer que sejamos templos divinos, ou seja, o lugar onde Deus mora.

O cristão tem a vocação de ser templo de Deus. Por isso, não podemos viver do jeito que nos dá na cabeça, porque o jeito do cristão viver é o jeito do Evangelho. E o Evangelho é o jeito de Cristo viver. É importante, pois, que, compreendendo que Jesus é o sacramento do Pai, o amemos profundamente e o tenhamos sempre em conta. Buscando-o sem cessar encontraremos a paz e a vida. Não tenhamos medo de amá-lo com toda a nossa força.

Dinamizando

Jesus Cristo é sacramento do Pai porque veio em nome do Pai e cumpriu a missão que o Pai lhe confiara. Ele é sacramento porque é o sinal vivo do Pai e de sua aliança de amor.

— *Solicitar aos catequizandos que se lembrem e digam um fato, uma frase ou mesmo uma palavra de Jesus.*

3
OS SETE SACRAMENTOS

Conversando

Cristo, em sua bondade infinita, prometeu estar sempre conosco. Ele não nos abandona, está presente em muitos fatos e acontecimentos de nossa vida. Ele é companheiro inseparável.

Os sacramentos, podemos dizer, é a presença palpável de Cristo, isto é, que pode se tocada. **Esses sinais sensíveis da graça divina** penetram profundamente em nós, em nossa existência.

O que esse amor faz em nós? Ele nos liberta e nos faz membros vivos de sua Igreja! Cada sacramento é um encontro pessoal com Cristo, por isso precisamos estar bem preparados para recebê-lo. O Senhor quer nos dar de sua vida, quer fazer comunhão conosco, porque o amor quer estar sempre em comunhão. Quando decidimos viver a mesma experiência de fé que muitos já viveram, podemos comprovar que vale a pena viver a vida em Cristo e experimentamos:

– A vida de Cristo nascendo e crescendo em nós (*Batismo, Eucaristia, Crisma*).

– O perdão que nos faz voltar para nossa casa (*Reconciliação ou Penitência*).

– A vida doada, partilhada, ofertada e vivida na união e no amor, que gera nova vida (*Matrimônio*).

– O anúncio do Reino continuado entre nós pela pregação da Palavra e celebração dos sacramentos (*Ordem*).

– A presença sensível de Deus que não nos abandona na hora decisiva (*Unção dos Enfermos*).

Todos e cada um dos sacramentos nos apontam para uma direção: a vida em Deus e nossa santificação.

Compreendendo

Ninguém pode deixar passar em vão a graça divina que está a seu alcance. Os sacramentos estão presentes em nossa vida inteira e a Igreja os oferece continuamente a nós.

Ninguém pode viver a vida cristã de qualquer modo, mas do modo que Cristo nos ensinou. Esse é o caminho para o cristão que deseja tornar-se adulto em sua fé. Cristo, que está em plena comunhão com o Pai nos comunica a vida divina. A vida cristã autêntica está envolvida pela vida divina.

Lembramos que a VIDA é verdadeiramente um sacramento, e assim deve ser tratada. Ela é dom de Deus e não pode ser desprezada. Deve ser respeitada de seu princípio a seu fim. Participando da vida da Igreja compreendemos a importância de cada sacramento e como eles trazem a vida divina para nós, por meio do Espírito Santo.

Vivendo

Para viver bem os sacramentos precisamos nos interessar por nossa fé e procurar desenvolvê-la, para nos tornarmos adultos, maduros na fé. Devemos participar de nossa comunidade, procurar ouvir e viver o que nos ensinam sobre os sacramentos.

A leitura da Palavra e de livros também é importante para que nos desenvolvamos bem. É preciso um pouco de paciência e calma com nós mesmos para melhorar. Mas temos de apostar em nós e fazer o esforço necessário para bem viver os sacramentos em nossa vida. A vida é como uma planta: sem cuidados ela morre. Esforcemo-nos, pois, para bem viver os sacramentos.

DINAMIZANDO

Os sete sacramentos têm suas raízes na Palavra de Deus, do Evangelho, e são sinais da presença de Deus em nossa vida. Por amor, Ele quer estar presente sempre em nós.

— *Pedir para que os catequizandos escrevam o nome de cada sacramento e depois, de modo espontâneo, conversem sobre cada um deles.*

4
SACRAMENTOS DA INICIAÇÃO CRISTÃ: BATISMO, CRISMA, EUCARISTIA

Conversando

Os sacramentos nos unem a Cristo. Chamamos de sacramentos da iniciação cristã: *Batismo, Crisma e Eucaristia*, porque eles nos *iniciam* na vida com Cristo. Por eles, somos introduzidos no grande mistério de amor que o Pai nos deu em Jesus.

Pelos sacramentos começamos a compreender o mistério de nossa fé. Compreendemos o que é viver a vida cristã, a vida de Igreja. Quando abrimos nosso coração para recebê-los, estamos nos *convertendo*. A conversão é sempre necessária, pois sempre teremos o que melhorar e modificar em nossa vida.

Os sacramentos da iniciação nos introduzem na Igreja, na comunidade, e nos apontam o caminho da fraternidade.

O **Batismo** é o primeiro sacramento e nos faz renascer para a vida nova em Cristo. Sem ele não podemos receber nenhum outro sacramento. Nele recebemos a mesma missão de Jesus: sacerdote, profeta e rei. Alimentados pela Palavra de Deus vamos assumindo esse sacramento em nossa vida inteira.

A **Crisma** é o sacramento que nos dá o dom especial do Espírito Santo, confirmando nosso batismo. Nós o recebemos já na idade adulta porque queremos viver com intensidade e santidade o batismo que um dia recebemos. É o sacramento da maturidade cristã, porque de forma livre e consciente escolhemos a vida cristã.

Na **Eucaristia,** é o próprio Cristo que se dá em comunhão a nós. Participamos da Ceia do Senhor, da renovação da Aliança de Deus com seu povo por meio de Cristo. Eucaristia é o próprio Cristo dando sua vida por nós. É seu mistério pascal se atualizando hoje. É a fonte e o centro de toda a vida cristã. A Eucaristia é Cristo mesmo agindo em nós para que nos transformemos nele.

Compreendendo

O cristão tem um jeito próprio de viver. Se vivemos de modo alheio aos ensinamentos de Cristo não somos cristãos autênticos e estamos rejeitando o que Jesus nos ensinou. E é importante lembrar o que nos disse São Paulo: *"Batizados em Cristo Jesus, em sua morte é que fomos batizados. Portanto, pelo Batismo fomos sepultados com ele na morte para que, como Cristo foi ressuscitado dentre os mortos pela glória do Pai, assim também nós vivamos vida nova"* (Rm 6,3-4).

Assim compreendemos que os sacramentos da iniciação cristã nos fazem viver a verdade de Cristo. Somos como os ramos de uma árvore: "Eu sou a videira; vós, os ramos. Quem permanecer em mim e eu nele, esse dá muito fruto; porque sem mim nada podeis fazer" (Jo 15,5). Esse é o caminho no qual devemos andar!

Vivendo

Pelos sacramentos somos convidados a nos empenhar para viver a vida do jeito que Cristo nos ensinou. No Batismo, nascemos para a fé e passamos a ser parte da Igreja, Corpo de Cristo. Na Crisma, manifestamos nosso crescimento como cristãos e nos unimos a tantos irmãos e irmãs na Igreja. A Eucaristia é o alimento que precisamos e que não nos pode faltar. Porque vivemos unidos, recebemos o Cristo inteiro na sagrada comunhão e Deus nos dá a graça de saborear a vida em sua plenitude.

Deixar para trás esta oportunidade que o amor divino nos oferece é manifestar pouca sabedoria para com a vida. Sem Cristo nada podemos fazer!

DINAMIZANDO

Os sacramentos da iniciação cristã são: Batismo, Crisma, Eucaristia. Sem o Batismo ninguém pode receber nenhum outro sacramento.

— *Mostrar para os catequizandos os elementos celebrativos, dizendo o significado de cada um deles: Batismo (água, óleo dos catecúmenos, vela), Crisma (óleo do crisma, círio pascal), Eucaristia (pão, vinho, cálice e patena).*

5

SACRAMENTOS DA VIDA ADULTA: PENITÊNCIA, MATRIMÔNIO, ORDEM, UNÇÃO DOS ENFERMOS

Conversando

Nossa vida está em contínuo desenvolvimento, não só biologicamente, mas também espiritualmente. Assim como cuidamos do corpo para que tenha saúde e força, também a vida espiritual deve ser cuidada. Cristo, conhecendo a cada um de nós, não hesitou em nos deixar os meios necessários para nosso crescimento. Assim nos tornamos verdadeiramente adultos na fé.

O sacramento da **Reconciliação** ou **Penitência**. Nós cometemos erros em nossa vida, pecamos. Por meio deste sacramento recebemos o perdão de Deus.

O **Matrimônio** é de instituição divina, ou seja, foi criado por Deus. Nele vivemos o amor divino presente no amor humano, no amor de um homem e de uma mulher, e nos tornamos cristãos de verdade.

A **Unção dos Enfermos** nos fortalece quando temos dificuldades na saúde ou na idade avançada. Ela nos conforta e nos dá a certeza de que Deus não nos abandona na hora mais difícil. A graça de Deus nos ajuda a assumir a vida com dignidade, esteja ela em que estágio estiver.

O sacramento da **Ordem** é para quem sente o chamado para servir a Deus com a totalidade de sua vida. Os que recebem este sacramento são: Diácono, Padre e Bispo. É o sacerdócio a serviço da comunidade.

Celebrando com fé os sacramentos em nossa vida, experimentamos a força da alegria, da liberdade e da paz que o Senhor nos dá por meio desses sinais de seu amor e de sua bondade.

Compreendendo

É bom conversarmos um pouco mais sobre esses sacramentos. Deus não quer a morte, mas a vida para nós. Por isso, Ele nos perdoa porque nos ama com amor infinito: é **o sacramento da Reconciliação ou Penitência**. Esse mesmo amor manifesta-se na união do homem e da mulher, onde o amor divino se faz presente no amor humano, consagrando-o é o **sacramento do Matrimônio**. E, como todos sabemos, podemos nos encontrar em momentos mais difíceis seja pela idade ou pela perda da saúde. Outra vez o Senhor se faz presente junto de nós: é **o sacramento da Unção dos Enfermos**. E para que todos possam alcançar a graça divina e saborear este amor infinito de Deus, o Cristo chama dispensadores de seu amor e de sua graça: é **o sacramento da Ordem**.

Compreendendo os sacramentos vemos, sentimos e "apalpamos" o amor infinito que o Senhor tem para conosco.

Vivendo

Havendo vontade em nós para viver esses sacramentos, faremos, sem dúvida nenhuma, a grande experiência da presença de Deus em nós. Dessa forma, não vamos querer abandonar por nada nossa fé cristã, nem vivê-la de qualquer jeito. Vamos nos esforçar para celebrar nossa fé com dignidade e empenho, e vivermos a liberdade na qual Deus nos criou. Em Deus encontramos toda a liberdade que ansiamos e desejamos.

Dinamizando

Temos nossas fragilidades. Falhamos em nossas atitudes, precisamos recuperar a saúde. Mas na vida entregue com amor por meio do sacerdócio ministerial ou pelo matrimônio sabemos o quanto o Senhor nos ampara nesta vida.

— *Colocar sobre uma mesa todos os símbolos possíveis destes sacramentos: Crucifixo, Estola sacerdotal, Santo Óleo dos Enfermos etc.*

6

OS SACRAMENTOS EM NOSSA VIDA

Conversando

A grande descoberta que devemos fazer em nossa vida é a da presença de Deus. Os sacramentos nos dão a alegria de saber que Deus não nos abandona e está sempre disposto a nos amparar com seu amor. Esta beleza divina presente em nossa vida não a vemos com os olhos humanos, mas com os olhos da fé, que nos fazem enxergar em profundidade. Mas é preciso querer enxergar, para poder ver a presença amorosa de Deus. Sem a fé nos tornamos cegos. Celebramos em cada sacramento a gratuidade do amor divino por nós.

A vida torna-se, pois, o "lugar" da manifestação de Deus, verdadeira teofania. A presença divina é posta dentro de nós como que uma semente, no dia em que celebramos o sacramento, seja ele qual for.

Desde o Batismo que recebemos, o Senhor quer que germinemos em sua bondade. Cultivando a verdade do

Pai que manifestou seu amor para conosco em Jesus, seu Filho, crescemos no mistério do amor e no mistério pascal de Jesus. Isto significa que, vivendo com empenho nossa fé, somos penetrados profundamente, em todas as dimensões de nossa vida pela misericórdia divina. Numa palavra, somos "encharcados" do amor de Deus. Será que há algo mais belo do que esta certeza do amor divino por nós? Seu amor é presença irrevogável.

Compreendendo

Os cristãos não podem deixar de lado os sacramentos, pois eles são a vida de Deus na vida da gente. Jesus veio e deixou-nos os meios seguros para nossa salvação. Ninguém pode viver de qualquer jeito, a seu modo, mas do modo como Jesus mesmo nos ensinou.

Por isso, não podemos correr o risco de não cuidar desta semente. Se não cuidamos, ela não cresce, não floresce nem frutifica. Cuidar da vida de fé é cuidar da própria vida. É querer viver na paz. Somos animados nesta vida pela graça dos sacramentos, pois neles estamos mergulhados no amor de Deus. São Paulo nos lembra que "nele temos a vida, o movimento e o ser" (At 17,28). Só será possível crescer no amor se estivermos atentos aos "recursos" que o próprio Jesus nos deixou, para nosso próprio bem.

Vivendo

Devemos nos colocar sempre na presença de Deus e nos deixar tocar profundamente pelo Espírito de Cristo. Vivendo os sacramentos e fazendo de nossa vida um sacramento, trilhamos o caminho da salvação e da paz.

Não estamos sozinhos neste mundo, pois o "Senhor está no meio de nós". Em Cristo temos o sentido para nossas lutas e para nossa história. De nossa parte cabe sermos fiéis a Ele e a seu ensinamento. Vivendo intensamente nossa fé encontraremos o jeito certo de viver, e nossa vida estará carregada de luz e de paz. A fé é viver o amor de Deus que nos envolve e, nos sacramentos alcançamos a graça e a salvação que necessitamos.

DINAMIZANDO

Nossa vida é verdadeiro sacramento, pois veio de Deus. Não pode nos faltar o esforço em descobrir o amor e a presença divina em nós.

— *Procure mostrar a vida como dom sagrado; o quanto cada pessoa é importante para o mundo e para a comunidade, para a família e para a sociedade.*

— *Cada pessoa é sacramento de Deus.*

Quarta Parte

IGREJA

1. O que é a Igreja?

2. Igreja visível

3. Igreja peregrina e do céu

4. Igreja Povo de Deus

1
O QUE É A IGREJA?

Conversando

Deus, em seu livre desígnio, criou o universo inteiro, e o homem e a mulher à sua imagem e semelhança. Ele quis repartir conosco sua vida divina. Mas muitos rejeitaram sua vontade e caíram no pecado, no erro, abandonando-o. Para nos resgatar, em sua infinita misericórdia, e porque jamais Ele deixou de nos amar, enviou-nos seu Filho único e amado. Desse modo Ele quis nos reunir num só corpo, para ser seu povo querido, tornando seu Filho a Cabeça deste corpo.

Na história da salvação, Deus fez muitas alianças com seu povo, como por exemplo, com Abraão, Isaac e Jacó. Mas o cume desta Aliança de amor acontece com seu Filho Jesus Cristo, que nascendo da Virgem Maria, por obra do Espírito Santo, veio morar entre nós, viver nossa vida e nos ensinar a viver. Assim, desde a criação até a vinda de Jesus, o Pai foi configurando sua Igreja para ser sinal visível de sua presença entre os seres humanos. Assim podemos compreender o que fala o apóstolo Paulo na Carta aos Romanos: "Aos que ele desde sempre conheceu, também os predestinou para serem conformes à imagem de seu Filho, a fim de que ele seja o primogênito entre muitos irmãos" (Rm 8,29).

A Igreja é, portanto, o povo amado do Senhor, reunido em Cristo, formando com Ele um só corpo. A Igreja é o Reino de Cristo já presente[1] em mistério no meio de nós. Ele continua a nos redimir e a nos dizer: "Quando eu for levantado da terra, atrairei todos a mim" (Jo 12,32). Todos nós somos chamados à união com Cristo, luz do mundo, e nos tornamos sua Igreja, reunidos em seu amor.

Compreendendo

Cristo é a fonte de toda a vida. O Pai confiou-lhe uma missão, que ele a cumpriu até o fim. *"Eu vos glorifiquei na terra, levando a bom termo a obra que me destes para fazer"* (Jo 17,4). O Espírito de Cristo está presente na Igreja e em cada coração humano, como num templo: *"Não sa-*

---

[1] Enquanto convoca pela pregação os seres humanos a acolher o Reino. Por reunir os que aceitam a fé em Cristo, a Igreja é assim semente e princípio do Reino de Deus na terra (cf. *Lumen Gentium*, 5).

beis que sois templo de Deus e que o Espírito de Deus habita em vós?" (1Cor 3,16). Cristo iniciou a Igreja pregando o Evangelho, que é o anúncio da presença do Reino entre nós. Por isso na Igreja, Corpo de Cristo, não pode estar ausente o Evangelho. *"Porque completou-se o tempo, e o Reino de Deus está próximo"* (Mc 1,15). Sabemos que Jesus foi fiel até o fim, entregando sua própria vida para nossa redenção. A Igreja é o povo unido em Cristo, na fraternidade e na verdade do Reino que Cristo instaurou entre nós.

Vivendo

A Igreja é sacramento do Reino de Cristo entre nós. Você já sabe que sacramento é sinal da verdade divina. Ela é o sinal visível, por meio do qual manifestamos nosso amor a Cristo, vivemos na união de irmãos, e em comunidade procuramos viver o Evangelho.

A fé tem sentido quando a vivemos num só Corpo que é a Igreja de Cristo. Viver a fé sem a Igreja é dizer não ao jeito que Jesus nos ensinou a viver.[2] A Igreja é a *esposa imacu-*

---

[2] A Igreja reconhece que o Reino de Deus é maior do que ela no Concílio Vaticano II, todavia, por saber que a dimensão comunitária é fundamental na vivência da fé, ela se reconhece como mediação necessária (cf. *Evangelii Nuntiandi*, 16).

lada do Cordeiro imaculado, que é Jesus (cf. Ap 19,7). Cristo *"amou a Igreja, e por ela se entregou, para santificá-la"* (Ef 5,26). Nela compreendemos a caridade divina para conosco, ou seja, seu amor; e isto está além de nosso conhecimento: *"Que Cristo habite pela fé em vossos corações e, assim, enraizados e consolidados no amor, possais compreender com todos os santos qual a largura, o comprimento e a profundidade, e conhecer o amor de Cristo, que supera todo conhecimento, para serdes repletos de toda a plenitude de Deus"* (Ef 3,17-19).

Dinamizando

Importante saber: quando se escreve ou se refere à igreja com **i** minúsculo, faz-se referência à igreja prédio, construção. Ao se escrever com **I** maiúsculo, refere-se à Igreja sacramento do Reino, Povo de Deus. Uma vez que o povo esteja reunido em nome de Cristo, ali está presente a Igreja, ensina-nos Santo Agostinho.

— *Provocar uma conversa entre os catequizandos sobre o sentido de Igreja e igreja. Como você vê uma e outra?*

2
IGREJA VISÍVEL

Conversando

Cristo transmitiu à Igreja muitos dons. Todo dom que Deus concede é para a vida de comunhão, para a unidade de todo o povo de Deus.

A Igreja é chamada a ser e a viver do jeito de Jesus e tem por missão transmitir aos homens e mulheres a boa-nova da salvação. Essa missão é permanente, ou seja, é próprio de sua natureza anunciar a verdade de Cristo e de seu Evangelho.

Cristo anunciou o Evangelho com firmeza e com muita humildade. Basta meditarmos o Evangelho para vermos quanta perseguição Ele sofreu. Ele não se apegou a sua condição divina. *"Como subsistisse na condição de Deus, despojou-se a si mesmo, tomando a condição de servo"* (Fl 2,6).

A Igreja visível é um órgão vivo e presente, que difunde a verdade do Evangelho, a verdade da fé e a graça de Deus para todos. Tudo o que vemos a Igreja realizar – seus ensinamentos, as celebrações, a Liturgia, sua palavra orientadora – relaciona o divino e o humano. Por isso dizemos que a Igreja é humana e divina.

Humana porque é feita de pessoas, e divina porque nasceu de Cristo, que se faz presente no meio de nós.

É bonito compreender a Igreja visível como dom de Deus para nós. Não somos anjos, e vivendo na terra temos de ver e manifestar nossa confiança no Senhor. É o Espírito de Cristo que vivifica toda a Igreja neste mundo.

Compreendendo

Quando vemos uma igreja-construção, vemos o sinal da Igreja presente no meio de nós. Nesta igreja-construção reúne-se a Igreja povo de Deus.

Quando uma Comunidade se reúne numa igreja para a celebração da Eucaristia e para outros encontros, é a Igreja inteira que está ali presente. Ali podemos sentir, escutar e nos encantar com a verdade de Cristo no meio de nós.

Nesta Igreja estão presentes tantos ministérios ou serviços como o do Papa, dos Bispos, dos Sacerdotes, dos

Diáconos e de tantos outros, que se doam em favor do Reino de Deus na Igreja. Por isso, é bonito viver a fé em união com os outros. Viver a fé sozinho não tem sentido! Nossa vocação primeira é para a unidade entre irmãos.

Vivendo

Jesus fez-se inteiramente pobre. Doou sua vida plenamente. Nasceu na periferia de Belém e foi sepultado num túmulo que não era seu. Era de José de Arimateia. Despojou-se inteiramente de sua condição divina e fez-se servo. Por isso, quando procuramos viver a Igreja de Cristo, não podemos buscar nela prestígio ou distinção. Não buscamos a glória terrena, mas proclamamos a fé e a caridade do mesmo jeito de Cristo, com humildade e abnegação. Como Cristo procurou acolher os pecadores, sarar os doentes, libertar os oprimidos... também devemos procurar aliviar a pobreza dos irmãos e servi-los como ao próprio Cristo. A visibilidade maior que precisa existir na Igreja é a prática do bem, da justiça, da caridade e da solidariedade.

Somos, pois, a Igreja que peregrina neste mundo até alcançar a do céu.

DINAMIZANDO

Quando nos reunimos em comunidade somos a Igreja visível de Cristo, pois aí há um encontro de irmãos na mesma fé.

— *Você participa de sua Comunidade? Para você o que significa ser uma Igreja viva, participativa, de comunhão e de união?*

3

IGREJA PEREGRINA E DO CÉU

Conversando

Somos peregrinos nesta terra e não temos aqui morada permanente. Mas é aqui que já formamos o Corpo de Cristo. Mesmo em meio às dificuldades, caminhamos na esperança até chegar o dia em que estaremos na plenitude de Cristo. Vivendo a caridade, cresceremos naquele que é o centro da Igreja inteira: Jesus Cristo.

O povo de Israel caminhou no deserto, depois de sua saída do Egito, a terra da opressão. Esse povo já era chamado de Povo de Deus. Hoje, a Igreja é o novo Israel, o novo povo de Deus que caminha na realidade presente. Somos nós o povo de Deus, unido em comunidade, a Igreja de Cristo.

"Tu és Pedro, e sobre esta pedra edificarei minha Igreja, e os poderes do inferno jamais conseguirão dominá-la" (Mt 16,18). O Cristo não nos deixou órfãos ao voltar para o Pai. Ele continua presente no meio de nós, seu povo. Assim foi de seu desígnio permanecer conosco através da Igreja, dispensadora dos sacramentos.

Cristo nos fez o novo povo de Israel para vivermos em comunhão de vida e na fraternidade, como irmãos. Todos os que creem não deixam de olhar para aquele que é o autor de nossa salvação: Jesus!

Como pessoas de fé, unidas pelo Evangelho de Cristo, vivemos a Igreja que caminha neste mundo, rumo à eternidade, à plenitude da vida. Mas, para chegar ao céu, é preciso pisar o chão desta terra onde vivemos e aqui já experimentar viver no amor de Cristo.

Compreendendo

A Igreja é peregrina, e com ela caminhamos juntos, buscando as coisas do alto, as coisas divinas. Ao mesmo tempo assumimos com responsabilidade nossa vida na terra. Ela é missionária, pois anuncia o Evangelho de Cristo e o traz para bem dentro do coração do ser humano. Quando compreendemos essa verdade, a abraçamos para valer e procuramos viver com intensidade o que a Igreja ensina. É preciso compreender que o Senhor é fonte eterna de amor e caminha conosco. Ele se faz presente junto de nós por excessiva misericórdia e bondade, chamando-nos para a comunhão de vida com Ele e entre nós.

Ninguém pode participar e viver na Igreja conforme seu gosto pessoal, mas por ter consciência de que o Cristo peregrina conosco e nos dá gratuitamente o amor do Pai, que nos salva e nos revigora nesta caminhada.

Vivendo

A Primeira Carta de São Paulo aos Coríntios nos diz: *"Quando todas as coisas lhe tiverem sido submetidas, então o próprio Filho se sujeitará àquele que tudo lhe sujeitou, para que Deus seja tudo em todos"* (1Cor 15,28). O Senhor não nos chamou para vivermos sozinhos, só individualmente. Ele criou laços de amor entre nós, para que vivêssemos em comunhão mútua. Assim participamos de sua vida divina, constituindo-nos um só povo em seu amor. Ele juntou o que estava disperso, dividido, separado. Uniu-nos num só povo, para que junto dele vivêssemos no mesmo amor.

Mesmo que esse desejo de Cristo ainda não se realize plenamente, dadas às condições em que vivemos, devemos fazer nossa parte, para que um dia se realize plenamente. É nesse mesmo amor, nessa mesma esperança que somos verdadeiramente a Igreja peregrina a caminho do céu.

DINAMIZANDO

O esforço em viver a fé é muito importante para nós. Na força da união caminhamos a cada dia para Deus. Somos a Igreja peregrina, ou seja, estamos a caminho do Pai.

— *Ressaltar alguns exemplos de sua comunidade, onde a união fez as coisas boas, as coisas do Reino, acontecerem.*

4
IGREJA POVO DE DEUS

Conversando

A Igreja Povo de Deus é a união de todos os cristãos que, batizados em Cristo, professam a mesma fé e buscam viver na mesma caridade. A Igreja tem por cabeça o Cristo, que se entregou na cruz por amor a nós (Rm 4,25).

Muitas vezes, esse Povo de Deus é pequeno, um pequeno rebanho como nos falou o próprio Cristo. Porém, nele está presente a força da esperança, da unidade e da salvação. Em muitos lugares do mundo, os cristãos ainda sofrem as consequências de professarem sua fé. São perseguidos por causa do Evangelho.

O Povo de Deus foi fundado pelo próprio Cristo, para viver em comunhão de vida, na caridade e na verdade. Cristo assumiu esse povo e se tornou instrumento de redenção para todos.

Jesus, que veio de junto do Pai, assumiu nossa condição humana e formou o novo povo de Deus, povo da nova Aliança, começando pelos apóstolos. Ele veio nos redimir e também nos envia para que sejamos sal da terra e luz do mundo (Mt 5,13-16). O Senhor nos sustenta com sua graça e misericórdia até o dia em que chegarmos à luz sem ocaso.

Cristo nos chamou para ser um só povo, e viver nele. Enquanto peregrinamos nesta terra, devemos nos incorporar como irmãos e irmãs, como membros de um só e mesmo corpo: o Corpo de Cristo. Acolhendo o Evangelho como "fermento na massa", este mesmo Evangelho de Cristo vai atingindo o coração humano, transformando-o e unindo as pessoas até chegarem à verdade e tornarem-se Povo do Senhor.

Compreendendo

Todos os cristãos batizados formam o Povo de Deus. Mas, para que sejam uma Igreja viva, devem viver o que o sacramento do batismo plantou em cada um: a mesma missão de Jesus. Isso significa participar ativamente da comunidade, de sua vida, assumindo seu caminhar e se comprometendo com ela.

Não é possível dizer-se Igreja sem se fazer presente e sem assumir com ela a mesma missão de Jesus.

O Povo de Israel caminhou pelo deserto, depois da libertação do Egito, como povo peregrino. Deus caminhava com ele. Do mesmo modo, o novo povo de Deus que se iniciou com Jesus, caminha nas estradas do mundo, como povo de irmãos, conduzido pelo próprio Cristo, que por ele deu sua vida.

Desse modo, a palavra que nos orienta e nos abre o coração é a Palavra de Jesus, o Evangelho que é a fonte de vida para todos os cristãos, que formam o novo Povo de Deus.

Vivendo

A Carta aos Hebreus nos lembra que "não temos aqui uma cidade permanente, mas buscamos a futura" (Hb 13,14), ou seja, nosso destino é o céu, e lá está a Igreja perene, eterna. As palavras de Cristo ao apóstolo Pedro são também muito reconfortantes para nós que caminhamos como Igreja na terra: "Tu és Pedro, e sobre esta pedra edificarei minha Igreja, e os poderes do inferno jamais conseguirão dominá-la" (Mt 16,18). O próprio Cristo constituiu, pois, este povo da nova Aliança, e a sua frente colocou pastores verdadeiros, como o apóstolo Pedro e todos os que o sucederam na orientação do Povo de Deus.

Cabe, pois, a cada um de nós amar a Igreja que foi constituída por Cristo, vivendo vida de Comunidade, unindo-nos na fraternidade e assumindo nossa temporalidade com ardor missionário.

DINAMIZANDO

Deus foi sempre fiel ao Povo de Israel e este o reconheceu como seu Deus. Hoje, sabemos que Jesus formou um novo povo, o Povo da nova e eterna Aliança, a começar pelos discípulos.

— *Explicar aos catequizandos o que é uma comunidade, como é formada uma Paróquia. O que é uma Diocese e como ela é constituída. O povo de Deus vive de modo organizado e fraterno.*

Quinta Parte
COMUNIDADE

1. O que é Comunidade?

2. Jesus e os Apóstolos

3. Os Apóstolos e a Igreja

4. O cristão vive em Comunidade

1
O QUE É COMUNIDADE?

Conversando

A Palavra de Deus assim nos ensina: *"Deus viu tudo que havia feito: era muito bom"* (Gn 1,31). Deus não nos fez para vivermos isolados, mas para vivermos juntos com os outros. Ele nos fez para viver em comunhão. Por nossa própria natureza devemos viver em sociedade. Ninguém é uma ilha.

Vivendo com os outros desenvolvemos nossos dotes, nossas qualidades. E cada um de nós tem uma riqueza muito grande, dada por Deus, para ser colocada a serviço dos irmãos e irmãs. Isso significa que nós estamos para a sociedade e não a sociedade para nós, ou seja, ela é o lugar onde vivemos, convivemos e nos desenvolvemos.

A comunidade pode ser chamada também de sociedade de irmãos, mas reunidos pela fé, e não por qualquer outro princípio. Nela correspondemos à nossa vocação, de viver em fraternidade. Este é o projeto de Jesus para a comunidade cristã: lugar para viver a fé e o amor a Ele e aos irmãos.

Na comunidade cristã, o *amor* deve estar presente. O amor a Deus e ao próximo é o primeiro e fundamental mandamento de nossa vida. "Se há algum outro mandamento, ele se resume nestas palavras: Amarás a teu próximo como a ti mesmo... A plenitude da lei é o amor" (Rm 13,9-10; 1Jo 4,20). Todos nós fomos criados à *imagem e semelhança de Deus*, e é no amor que devemos viver. O amor nos faz "*dependentes*" uns dos outros, por isso ninguém pode viver isolado. Isto é mesmo impossível. Nossa vocação é para viver juntos, como irmãos. Assim nos ensinou Jesus.

Compreendendo

Deus tem um cuidado paternal (cuidado de pai[3]) para com todos. Ele quer que sejamos uma família, e por isso deseja que nos tratemos com muita fraternidade, ou seja, que nos comportemos como verdadeiros irmãos. Todos nós somos chamados pelo amor a viver em comunidade.

---

[3] Pai como princípio da vida e aquele que permite as nossas iniciativas, incentivando-nos a viver a liberdade do amor.

Pertencemos a Deus. *"De um só, fez nascer todo o gênero humano... a fim de que busquem a Deus para atingi-lo, se possível, andando como que às apalpadelas, embora não esteja longe de cada um de nós. Com efeito, nele temos a vida, o movimento e o ser"* (At 17,26-28). Vivendo em comunidade fazemos a experiência do amor, que nos torna livres e no faz viver em união com os outros. Por isso, a fé, para ser vivida de modo certo, é por meio da união de irmãos, e numa comunidade cristã. Só vivendo esse amor que Jesus nos ensina, é que nos realizamos plenamente como seres humanos.

Vivendo

É preciso fazer crescer dentro de nós a convicção da importância e da necessidade da vivência do amor. Esse caminho nos traz paz e nos ajuda a compreender melhor a vida, fazendo-nos viver com maior dignidade.

Quando olhamos o Evangelho, compreendemos todo o esforço de Jesus para unir as pessoas. Esse processo de união começava dentro da pessoa, quando dele recebia o perdão dos pecados. Jesus unia as pessoas na comunidade quando curava os doentes. Como o leproso, que, uma vez curado, foi enviado por Jesus de volta para junto de sua família.

No Evangelho, descobrimos o quanto é bonito viver numa comunidade e, mesmo nas dificuldades, construir a vida em Deus, pois somos dele. Na comunidade, podemos viver o que Jesus nos ensinou: *"Todas as vezes que fizestes isto a um destes meus irmãos mais pequeninos, a mim é que fizestes"* (Mt 25,40). Portanto, trata-se de escolhermos o amor manifestado na vida.

DINAMIZANDO

Jesus não quis anunciar sozinho o Reino de Deus. Logo no início de sua missão, convidou os doze primeiros discípulos. Eles o seguiram bem de perto, e após sua ressurreição, anunciaram com ardor e viveram a mesma missão de Jesus. Formaram as primeiras comunidades cristãs.

— *Provocar os catequizandos para um debate sobre o sentido de ser e viver em comunidade. O que diz para você a palavra comunidade?*

2
JESUS E OS APÓSTOLOS

Conversando

Assim fez Jesus: *"Chamou para junto de si os que ele quis, e foram até ele. Escolheu doze para ficarem com ele e para enviá-los a pregar"* (Mc 3,13-19). Diante desse grupo de discípulos, Jesus propôs a Pedro, escolhido entre os mesmos, que estivesse à frente dessa missão (cf. Jo 21,15-19). E Jesus os enviou a pregar o Evangelho a todas as criaturas. Por que Jesus fez isso? Para que todos os povos se tornassem discípulos, ou seja, vivessem de acordo com o Evangelho, na santidade.

Eles foram confirmados nessa missão no dia de Pentecostes, dia em que Jesus enviou sobre os apóstolos o Espírito Santo, terceira pessoa da Santíssima Trindade (cf. At 2,1-26).

Desde esse momento em que Jesus chamou os apóstolos e os enviou em missão, principalmente depois de Pentecostes, eles anunciaram com forte ardor missionário o Evangelho de Cristo. A partir dos apóstolos e de sua ação, a Igreja segue o mesmo mandato de Jesus, e por isso ela está em perene missão.

A origem de tudo é o próprio Cristo e o Espírito Santo, conforme a intenção, a vontade, o desejo do Pai. Essa verdade está no meio de nós por demasiada misericórdia e bondade do Pai, que nos chamou e nos chama à comunhão de vida com Ele. Deus quer que sejamos seu povo e não vivamos dispersos por este mundo. Reunidos em seu Filho Jesus, participamos de sua vida divina.

Jesus foi enviado ao mundo pelo Pai, para ser o mediador entre Deus e os homens. Ele de rico se fez pobre, para que por meio de sua pobreza nos enriquecêssemos de vida e de salvação. *"Conheceis a generosidade de nosso Senhor Jesus Cristo: era rico e se fez pobre por vossa causa, para enriquecer-vos por meio de sua pobreza"* (2Cor 8,9).

Compreendendo

Quando falamos de Jesus e dos apóstolos, falamos de nós mesmos, que estamos ainda caminhando na terra e que somos Igreja. São bonitas, como também exigentes, as palavras de Jesus: "Ide por todo o mundo e pregai o Evangelho a toda criatura. Quem crer e for batizado será salvo, mas quem não crer será condenado" (Mc 16,15-16).

Assim a Igreja tem a missão e a responsabilidade de anunciar o Evangelho ao mundo. Cada cristão batizado já recebeu em germe essa missão de propagar a fé, de levar a salvação a todas as gentes. O papa, os bispos, sacerdotes, diáconos e tantos consagrados dedicam suas vidas nessa missão. Mas ela é de todos os cristãos batizados. Pela pregação, pelo exemplo, pelos sacramentos e por outros meios, a graça divina vai atingindo o coração e a vida das pessoas, transformando-as. Cabe também a nós assumir nossa parte.

Vivendo

Vivendo e respondendo ao chamado de Cristo, experimentamos verdadeiramente a paz e a liberdade. Também encontramos um caminho aberto e seguro de nossa participação no mistério redentor de Cristo, que foi enviado pelo Pai para evangelizar os pobres.

Há os pobres materialmente que precisam ser evangelizados, mas há pobres de bens divinos, que não se deixam tocar pela graça de Deus. Por isso, o Evangelho deve ser anunciado a todas as gentes. Semelhantes ao Cristo, os apóstolos pregaram o Evangelho de Jesus até o martírio. Nessa mesma esperança caminhamos como Igreja, anunciando o Evangelho da vida. Mas precisamos, em primeiro lugar, convencer-nos a nós mesmos da verdade sobre Cristo.

DINAMIZANDO

Jesus foi transformando pouco a pouco, dia a dia, o coração dos apóstolos. Foram crescendo na compreensão do Reino e o abraçaram definitivamente.

— Converse com os catequizandos: O que significa ser apóstolo hoje? O que nós como cristãos batizados temos a ver com o Reino de Deus?

3
OS APÓSTOLOS E A IGREJA

Conversando

Logo após a ressurreição e o Pentecostes (At 2,1-13) – vinda do Espírito Santo sobre os discípulos e Nossa Senhora –, os apóstolos saíram mundo afora, anunciando o Evangelho de Jesus. As pessoas acolhiam a Palavra de Jesus e recebiam o sacramento do Batismo. As primeiras Comunidades cristãs eram firmes na fraternidade, na vida de oração e na prática da caridade. *"Todos os que creram estavam juntos e tinham tudo em comum..."* (At 2,42-47).

Vendo esse jeito de viver e escutando o Evangelho de Jesus, não eram poucos os que voltavam suas vidas para Cristo. *"Ao ouvirem essas palavras, sentiram o coração agoniado e perguntaram a Pedro e aos demais apóstolos: Que devemos fazer, irmãos..."* (At 2,37-41). Assim a Igreja de Cristo ia crescendo e se expandindo. Cumpria-se o que Jesus havia dito aos discípulos: *"Sereis minhas testemunhas em Jerusalém, em toda a Judeia e Samaria e até os confins da terra"* (At 1,8). E eles anunciavam com alegria as maravilhas de Deus.

Os apóstolos fizeram a grande experiência de vida com Jesus. Aprenderam dele e com Ele. Por isso, no início da Igreja, viviam a comunhão fraterna e tinham tudo em comum. Também tiveram de enfrentar problemas e divisões. Podemos compreender como eram solucionados os problemas lendo principalmente os capítulos 6 e 15 dos Atos dos Apóstolos.

O mais importante é que em nome de Cristo anunciavam o Evangelho e procuravam resolver na fraternidade e na caridade as dificuldades que surgiam.

Compreendendo

As primeiras Comunidades cristãs, mesmo tendo suas dificuldades, próprias do começo de uma grande obra, são exemplo para nós. A vida que os primeiros cristãos, juntamente com os apóstolos, procuravam levar com ardor ajuda-nos a ser fervorosos também hoje. *"Dia após dia, unânimes, frequentavam assiduamente o Templo..."* (At 2,46a).

Na convivência fraterna, alimentavam-se da Palavra do Senhor; procuravam compreendê-la para vivê-la. Fizeram a grande experiência de conversão e, por isso, de aceitação do ensinamento de Cristo. O mesmo acontece conosco. Se nos abrimos sinceramente para as coisas de Deus, para o Evangelho de Jesus, tudo começa a se transformar em nós. Os apóstolos deixaram-se tocar pela Palavra de Jesus e se tornaram seus autênticos e ardorosos anunciadores.

Vivendo

A Igreja de Cristo faz grande esforço para cumprir sua missão de anunciar o Evangelho a todas as pessoas. Acolher sua mensagem é acolher o ensinamento de Cristo em nossos dias. "Enfim, rezai por nós, para que a palavra do Senhor seja difundida e honrada como o é entre vós" (2Ts 3,1).

Quando falamos dos Apóstolos e da Igreja, falamos de nós mesmos, pois somos responsáveis pelo anúncio da verdade de Cristo em nossos dias. A Palavra de Cristo é anunciada e difundida a partir de cada cristão batizado. Deus quer que sejamos seu povo, mas essa vontade de Deus se realizará se nós fizermos o esforço necessário para nos tornarmos seu povo. A graça divina se realizará em nós se nos tornarmos verdadeiramente seus colaboradores. Eis nossa missão, nosso dever!

Dinamizando

Logo depois do Pentecostes, os discípulos cheios de coragem, mesmo em meio às perseguições, anunciaram sem vacilar a verdade de Cristo.

— *Como podemos hoje anunciar o Evangelho de Jesus, principalmente nos grandes centros urbanos? Como fazer o Evangelho de Jesus chegar ao coração das pessoas?*

4

O CRISTÃO VIVE EM COMUNIDADE

Conversando

Deus tem um cuidado para com toda a humanidade que brota de seu coração paterno. Ele quis que formássemos uma verdadeira família aqui na terra. Quis que vivêssemos, de fato, como irmãos verdadeiros. Por isso, Jesus nos ensinou que o amor a Deus e ao próximo é o primeiro mandamento. *"De um só, fez nascer todo o gênero humano, para que habite em toda a face da terra"* (At 17,26). O Senhor fez o mesmo e único chamado para todos os homens e mulheres: viver como irmãos verdadeiros!

Quanto mais vivemos neste mundo, mais percebemos a necessidade que temos uns dos outros. É impossível viver isolado. Deus quer nos santificar, mas na união, para que sejamos seu povo santificado. Conhecendo o amor de Deus por nós, podemos servi-lo no amor aos irmãos. Esse é o desejo de Deus, que vivamos em comunidade do jeito de Jesus. O povo da nova Aliança, o povo que foi fundado por Jesus, não vive isolado, mas em comunidade. Tendo o Cristo como a cabeça deste corpo, e nós como seus membros, vivemos a unidade na liberdade e na dignidade de filhos de Deus.

Cristo é a fonte onde matamos nossa sede de vida. Nele o Pai infundiu sua vida divina em nós. É Jesus que nos chama à comunhão de vida. E como Ele que não veio para ser servido, mas para servir e dar a vida pela redenção da humanidade, também devemos viver em comunidade para sempre aprendermos dele.

Vivendo como irmãos, vivendo em comunidade, tudo o que Cristo realizou para nossa redenção terá seu efeito em nós.

Compreendendo

Jesus é o primeiro entre muitos irmãos. Ele é o primogênito. Sua vida é dom divino. Após sua morte e ressurreição instituiu, a partir daqueles que o acolhem com amor e com fé, uma Comunidade viva de irmãos. A Comunidade reunida na mesma fé nos faz membros uns dos outros em Cristo. Os dons que Deus concedeu a cada um tornam-se sinais vivos do amor e da presença dele junto de seu povo, se forem colocados a serviço.

Na medida em que vivemos o amor e a partilha, cresce a solidariedade humana, e a cada dia deverá crescer mais, até que chegue a plenitude do mundo. Assim, vivendo em comunidade, já experimentamos aqui na terra o que viveremos em plenitude, um dia, no céu. Por isso, não podem faltar o desejo, o esforço, o empenho para viver em Comunidade.

Vivendo

Fomos criados por Deus para vivermos no amor. Deus nos amou por primeiro e por isso nos deu a vida. Vivendo no amor correspondemos à bondade infinita de Deus. Por isso, ninguém pode viver isolado ou viver sua fé de modo individualista.

A vida e o amor não são objetos de mercado que se compra e se vende. A vida e o amor são verdades divinas que nos tornam livres e nos fazem felizes. Por isso, viver em comunidade não é apenas para estar juntos, mas para criar e manifestar laços profundos de amor. A Comunidade é a grande escola do amor. Terá, certamente, suas dificuldades, porque estamos em processo de amadurecimento, mas o amor, o bom relacionamento, o perdão e a misericórdia motivam nossa vida de irmãos. Quem não tem fé não compreende a verdade do amor.

DINAMIZANDO

Já vimos coisas boas sobre a comunidade, mas é importante continuar a refletir sobre ela, pois o cristão não vive sozinho, desligado dos irmãos e irmãs. Unidos em comunidade celebramos nossa fé.

— *Você acha importante viver em comunidade? O que posso fazer para ser uma presença dentro de minha comunidade?*

Sexta Parte

COMPROMISSOS IMPORTANTES NA VIDA DO CRISTÃO

Depois de refletirmos sobre os pontos importantes da vida cristã, propomos uma reflexão sobre os pontos essenciais de nossa vida no mundo. Somos responsáveis uns pelos outros, pela natureza, pela sociedade, enfim, pela história que precisamos e devemos fazer neste mundo.

Os pontos seguintes trazem a dimensão moral que não pode faltar no cristão que, de fato, ama a Jesus Cristo. Os conteúdos que se seguem desejam despertar o desejo de autenticidade e fazer sair de uma fé alienante, voltada unicamente para seu "casulo". Deseja-se ampliar os horizontes cristãos, como Jesus fez ao assumir sua história no mundo.

1
COMPROMISSO CRISTÃO COM A HISTÓRIA

O cristão tem compromisso com a História, por meio do serviço da caridade e da justiça. O batismo que recebemos nos compromete com a História que agora vivemos. Por isso, ser cristão é estar com o olhar voltado para o Evangelho e para a História do mundo.

O cristão verdadeiro não vive sua fé "lá nas nuvens". Ele a vive com os pés firmes no chão, sabendo qual é o autêntico caminho que deve percorrer. Não se deixa seduzir pelas ilusões do mundo, mas seduz o mundo pela prática do bem, da concórdia, da justiça e da paz. Toda a ação do cristão animada pela fé é verdadeira ação evangelizadora, é força transformadora, é fonte de redenção para o mundo. O cristão participa dos projetos que visam resgatar a vida e a dignidade das pessoas. Traz dentro si "os mesmos sentimentos de Cristo Jesus, que apesar de sua condição divina não reivindicou seu direito de ser tratado como igual a Deus, ao contrário, aniquilou-se a si mesmo" (Fl 2,5-6).

> Ser místico em nossos dias é assumir a História com a força do Evangelho de Cristo, buscando ser resposta para as angústias e incertezas do mundo de hoje. Jesus assumiu nossa condição humana, menos o pecado, e deu ao mundo uma resposta de amor. Nós devemos fazer o mesmo!

2
COMPROMISSO CRISTÃO COM O IRMÃO

A vida nova em Cristo nos leva ao encontro do irmão e da irmã. A vida nova em Cristo atinge toda a nossa existência, levando-nos a ser sal da terra e luz do mundo. Jesus mesmo já nos lembrou que aquele que o ama torna-se sal da terra e luz do mundo. *"Vós sois o sal da terra. Mas se o sal perder o sabor, com que se salgará? Não serve mais para nada, senão para ser jogado fora e ser pisado pelas pessoas. Vós sois a luz do mundo. Uma cidade construída no alto do monte não pode ficar escondida. E também não se acende uma luz para pô-la debaixo de um móvel"* (Mt 5,13-15).

Tudo o que se realiza no amor tem força para atrair as pessoas para junto de Deus. Como cristãos somos responsáveis pela salvação do irmão e da irmã. Por isso que Jesus nos diz: *"Como o Pai me amou, assim também vos amei. Permanecei em meu amor"* (Jo 15,9).

O compromisso com o irmão e a irmã é compromisso de amor, que traz a vida em plenitude. Assim nos ensinou Jesus, que nos amou em primeiro lugar. O amor gera a vida, a liberdade e a paz, e nos faz sermos cristãos de verdade! Ninguém pode ficar indiferente diante do sofrimento dos outros!

3
COMPROMISSO CRISTÃO COM A SOCIEDADE

Não vivemos sozinhos. Ninguém consegue viver isolado neste mundo. Não somos uma ilha perdida no meio do oceano. Quem faz a sociedade somos nós. A sociedade não existe sem nossa presença. E por isso somos responsáveis por seu rumo, sua direção.

Podemos colaborar para que a sociedade seja justa ou injusta, boa ou ruim. Isso depende de nossa colaboração. A pergunta que devemos nos fazer será sempre esta: Qual é minha colaboração e participação na construção da vida da sociedade?

A atitude do cristão deverá estar de acordo com o Evangelho de Jesus. Ser atitude de misericórdia e de consolação, de justiça e de fraternidade, de perdão e de serviço. Se abraçamos o individualismo, a busca do prazer somente e do poder, fugimos do compromisso cristão autêntico. Jesus viveu na sociedade, plantou a semente do

Reino no meio dela e se opôs àquilo que era contrário ao bem do homem e da mulher. Por isso, tem razão o profeta quando nos diz: "Colocarei minha lei em seu coração, vou gravá-la em seu coração" (Jr 31,33).

> O jeito do cristão viver na sociedade é do jeito que nos ensinou Jesus. Assim colaboramos para uma sociedade justa e fraterna, onde as pessoas tenham sua dignidade respeitada!

4
COMPROMISSO CRISTÃO COM A POLÍTICA

A política não goza de boa aceitação entre nós, devido a atuação dos maus políticos que buscam interesses pessoais ou grupais, desprezando o interesse coletivo. Temos de compreender que a política, enquanto a arte de bem governar, não está separada da fé. A Política, com **P** maiúsculo, é justa distribuição e organização dos bens públicos, dando a cada cidadão o direito que lhe pertence, e protegendo as pessoas em estado de maior vulnerabilidade.

O ideal da justiça e da colaboração de cada cristão para o bem comum nasce do Evangelho, do coração de Cristo. A opção por Cristo nos leva para dentro da vida em sociedade e para a prática da justiça. A Igreja nos ensina que devemos agir dentro da política, sendo fermento de justiça, de solidariedade e de respeito ao bem comum: "Com que hei de comparar o Reino de Deus? É semelhante ao fermento que uma mulher pega e mistura em três medidas de farinha, até que tudo fique fermentado" (Lc 13,2021).

> O compromisso político autêntico vem da busca e da vivência da justiça e é fortalecido pela vivência autêntica da fé dos cristãos. Por isso, o cristão assume na força da fé e do Evangelho a ação política, andando pelo caminho da justiça, da solidariedade e do respeito ao bem comum!

5
COMPROMISSO CRISTÃO COM A JUSTIÇA

Como cristãos que vivem no meio do mundo, a Igreja pede-nos que tenhamos uma postura profética de *anúncio* da verdade de Cristo e de *denúncia* do que vem ferir a dignidade humana.

Agir no mundo com os princípios da justiça é criar as condições necessárias para que todos possam viver com dignidade. Isso significa viver em paz, num relacionamento fraterno entre povos, nações, raças e culturas.

Há egoísmo presente nas pessoas e também em nações inteiras, que frustram a vida no mundo. O desrespeito à dignidade da vida é contra o plano amoroso de Deus. Por isso, é preciso juntar forças e abraçar os projetos humanos que venham defender a justiça e a solidariedade entre todos. Opor-se a isso e querer uma vida cristã sem compromisso com a justiça é afastar-se do próprio projeto de Jesus, que é o Reino de Deus.

> *"Quem oferece um sacrifício com os bens dos pobres é como se sacrificasse um filho diante de seu pai. O pão dos necessitados é a vida dos pobres, tirá-lo deles é cometer um assassínio... Derrama sangue quem priva o operário de seu sustento"* (Eclo 34,24-27).

6
COMPROMISSO CRISTÃO COM OS POBRES

O Reino de Deus pertence aos pobres, lembrou-nos Jesus. A pobreza desejada pelo Reino é aquela que acolhe a verdade de Cristo. A pobreza material geradora da falta de uma vida digna, que priva a pessoa dos direitos e dos bens fundamentais, e exclui o direito da pessoa se desenvolver, não é querida por Deus. A pobreza que não deixa viver não é aprovada por Deus.

O cristão autêntico volta seu olhar e seu coração àqueles que estão mais distantes, mais abandonados. Por isso, a Igreja, mesmo anunciando a verdade do Reino, não propõe nenhum modelo de sistema social, político ou econômico. Ela insiste para que os cristãos, como fermento na massa, insiram-se em projetos sociais e busquem responder às situações que degradam a vida.

A Igreja propõe o ensinamento do Evangelho, que é a partilha, a solidariedade, o acesso aos bens indispensáveis para que cada filho ou filha de Deus viva com dignidade. Ferir a dignidade humana é desprezar a bondade de Deus que nos criou. O cristão verdadeiro volta seu olhar e seu coração para os mais desprovidos deste mundo. Essa aplicação prática do Evangelho é conhecida como Doutrina Social da Igreja.

> Amar e defender os pobres é amar o próprio Deus, que em seu Filho Jesus Cristo nos amou com amor eterno! Todo bem que fazemos aos outros, somos nós mesmos os mais beneficiados, pois Deus recompensa todo bem praticado!

7
COMPROMISSO CRISTÃO COM A CULTURA

A cultura é querida por Deus e é própria do ser humano. Por meio dela nos desenvolvemos, criamos relacionamentos autênticos e construímos a paz. Ela é uma fonte muito importante para nossa vida neste mundo. O desenvolvimento autêntico nos conduz ao respeito às pessoas, à natureza, ao bem comum e nos faz encontrar o próprio Deus. "A pouca ciência me afasta de Deus, e a muita ciência me aproxima de Deus", afirmou Darwin. E a boa cultura nos aproxima das pessoas e de Deus também. Por isso, é de direito que todos tenham acesso à cultura ou tenham sua cultura e tradições respeitadas. A exclusão desse direito fundamental e importante não é do desejo de Deus.

Cada povo tem seu modo de expressar seu ser, seus pensamentos e seus sentimentos numa cultura própria. Mas a todos cabe desenvolver relações de boa convivência, de paz e de respeito entre os grupos humanos. A liberdade autêntica nos faz compreender e respeitar o que é manifestado por cada povo, nação ou grupo humano. O desenvolvimento dos povos se dá pela cultura, pela sintonia de vida e de compreensão que deve reinar entre todos.

> Pelo encontro da cultura de povos e nações, a humanidade se desenvolve no respeito mútuo e na construção da paz. Ninguém pode ficar excluído ou ter acesso negado a esse direito fundamental de todo ser humano.

8

DEUS CONTA COMIGO: SEU CHAMADO

Deus nos chamou para a vida, e nele temos nossa plena realização. Sem Deus ninguém é feliz. O primeiro chamado que Deus nos fez foi à vida. Ela é dom divino. Ninguém pode desprezá-la. A esse chamado todos devemos ser muito gratos para com o amor que nos criou e nos sustenta.

Jesus chamou os primeiros discípulos para que o seguissem bem de perto. Eles ouviram o chamado, e o seguiram. Mesmo diante das muitas fragilidades que Jesus encontrou neles, seu amor e seu ensinamento os formam, transformando-os, a ponto de darem suas vidas por amor a Cristo e a seu Evangelho.

Nossa vida também é dom de Deus para o mundo, para nossa família, para as pessoas com as quais nos relacionamos como cristãos e como seres humanos. Deus nos chama para o amor e nos faz participantes de sua eternidade. Somos capazes de praticar o bem e jamais podemos deixá-lo de fazer. Quem vive em Cristo vive em comunhão, torna-se Homem Novo e não hesita em viver em comunhão com os outros. Por isso o apóstolo Paulo nos diz: *"Eu vivo, mas não eu: é Cristo que vive em mim"* (Gl 2,20). Não podemos abandonar o chamado de Cristo. Devemos para viver conforme o ensinamento de seu Evangelho.

> Cada um de nós é único neste mundo, pois Deus nos criou com amor sem fim. Cada ser humano é irrepetível. As relações humanas devem ser carregadas de ternura, de diálogo, de perdão e de fraternidade! Esforçar-se para viver do jeito que Jesus nos ensinou é alcançar a paz e a felicidade!

Sétima Parte

PONTOS IMPORTANTES DA FÉ CRISTÃ

OS DEZ MANDAMENTOS DA LEI DE DEUS

Os Dez Mandamentos foram instituídos por Deus e dados por Moisés ao povo. Eles encontram-se no Antigo Testamento. O povo de Israel pôde, por meio deles, compreender o jeito de viver com dignidade, como verdadeiro povo de Deus. Mas Jesus ensinou-nos que esses mandamentos estão contidos no Evangelho do Amor:

— *"Amarás o Senhor teu Deus de todo o teu coração, com toda a tua alma e com todo o teu entendimento... e ao próximo como a ti mesmo"* (Mt 22,34-40). Também nos deu o mandamento que constitui a base da vida cristã: *"Eis que eu vos dou um novo mandamento: que vos ameis uns aos outros, assim como eu vos amei"* (Jo 13,34).

Os Dez mandamentos nos levam a respeitar a vida, o irmão, e a viver com a dignidade de verdadeiros filhos de Deus.

1. Amar a Deus aobre todas as coisas

"Adorarás o Senhor teu Deus com todo o teu coração, com toda a tua alma e com todas as tuas forças!" (Dt 6,5).

Deus deve ocupar sempre o primeiro lugar em nossa vida. Devemos amá-lo em primeiro lugar e acima de todas as coisas. Adorá-lo significa dar-lhe o lugar que Ele tem por direito em nossa vida.

2. Não tomar seu Santo Nome em vão

"Não pronunciarás em vão o nome do Senhor teu Deus" (Dt 5,11; Êx 20,7).

O nome significa a pessoa inteira. Dizer o nome de Deus é dizer de sua pessoa inteira. Por isso, ninguém pode usar o nome de Deus de modo errado, de modo interesseiro, para qualquer coisa ou situação. O mesmo vale para o nome de Jesus, de Nossa Senhora ou dos Santos.

Respeitar o nome de Deus é um dever de todo cristão.

3. Guardar os domingos e as festas de guarda

"Este é o dia que o Senhor fez para nós; exultemos e alegremo-nos nele!" (Sl 117,24).

"Guardarás o dia de sábado para santificá-lo!" (Dt 5,12).
"No sétimo dia se fará repouso absoluto, em honra do Senhor!" (Êx 31,15).

O terceiro mandamento nos lembra a santidade do dia do Senhor. Para os judeus no Antigo Testamento era o dia de sábado. Mas para os cristãos, o domingo é o dia do Senhor, pois nele recordamos a ressurreição de Jesus. É o dia da nova criação. Nele Cristo venceu a morte e deu-nos a vida. Por isso o cristão deve evitar fazer do domingo um dia qualquer, e nem deve impor aos outros coisas que os impeçam de guardar o domingo.

Aquilo que vimos nesses três primeiros mandamentos está ligado ao "Amar a Deus sobre todas as coisas". Os que se seguem relacionam-se ao "amar o próximo como a ti mesmo". Deste modo formamos nossa consciência cristã de acordo com o ensinamento de Cristo.

4. Honrar pai e mãe (Êx 20,12)

É bonito quando lemos no Evangelho que Jesus voltou com seus pais para Nazaré e "lhes era submisso!" (cf. Lc 2,51). Esse mandamento nos fala exatamente do relacionamento amoroso – honra – que devemos ter com nossos pais. Honrar pai e mãe significa dar-lhes amor e respeitá-los, como também a nossos irmãos e irmãs, e os outros membros da família. Deus quer que sejamos família e tenhamos amor mútuo.

5. Não matar (Êx 20,13)

O cristão não pode estar a favor da morte nem de suas formas. Não podemos, como cristãos, admitir a injustiça que gera miséria e morte; a eutanásia que tira o direito de morrer dignamente; o assassinato que é sempre contrário ao desejo de Deus etc. A vida precisa ser amada e respeitada desde sua concepção até seu declínio.

6. Não pecar contra a castidade (Êx 20,14)

A castidade é o respeito para com a dignidade da pessoa. É viver conforme a vontade do Criador. Deus nos fez com a mesma dignidade humana. Jesus é o modelo para todos os seres humanos.

Levar uma vida casta é respeitar sempre a pessoa do outro e jamais fazer dela um objeto de uso sem responsabilidade. Castidade é viver com amor e com respeito para com o outro. Tudo o que vem frustrar o plano de Deus para o homem e a mulher torna-se pecado.

7. Não roubar (Êx 20,15 e Dt 5,19)

Cada pessoa tem o direito de ter seus bens respeitados. Ninguém pode tirar o que pertence ao outro. Roubar é contra a dignidade do ser humano, seja pela tomada de posse do que não nos pertence, seja pela estrutura sociopolítica que favorece a corrupção, a injustiça, a defesa do interesse próprio. "Nem os ladrões, nem os avarentos... nem os injuriosos herdarão o Reino de Deus!" (1Cor 6,10).

Preocupar-se com o respeito e defesa do bem alheio e do bem comum, é respeitar esse mandamento. Quem rouba tem o dever moral de restituir o que roubou e reparar o mal que fez.

8. Não levantar falso testemunho (Êx 20,16)

Cada pessoa tem o direito à boa fama e ao respeito. O perjúrio (juramento falso ou quebra de juramento) ou falso testemunho não cabem na vida do cristão. *"Não levantarás falso testemunho contra teu próximo!"* (Êx 20,16). *"Ouvistes, também, o que foi dito aos antigos: 'Não jurarás falso, mas cumprirás teus juramentos para com o Senhor!'"* (Mt 5,33).

O cristão reveste-se de Cristo e dá testemunho da verdade, porque o Cristo que ama é a verdade eterna. Todos têm o direito a uma informação sempre alicerçada na justiça, na verdade, na liberdade, na dignidade humana.

9. Não desejar a mulher do próximo (Êx 20,17ab)

Ninguém pode desejar o que é dos outros: bens, família, homem, mulher ou qualquer outra coisa. Esse mandamento inicia-se com referência à casa. No AT, casa significa família. Retoma-se aqui a perspectiva da castidade e da interdição do adultério, que coloca em risco a estabilidade da família. Ele é mais largo em sua compreensão, não permitindo que se deseje o que é do alheio. Por isso, além do aspecto conjugal, há muitas outras coisas que não se deve desejar, pois não pertencem a mim.

10. Não cobiçar as coisas alheias (Êx 20,17c)

Esse mandamento é consequência do anterior. É preciso enxergar a vida e o que pertence ao outro com os olhos do coração. O cristão não pode colocar o centro de sua vida nos bens que não lhe pertence. O projeto de Jesus é a partilha de bens, e todos têm o direito de viver com dignidade. Quando alguém possui mais do que o necessário para viver com dignidade, é certo que está faltando para o outro. O que sobra em sua mesa é por direito do outro que não tem. Bem-aventurados são os que repartem com os pobres e sofredores.

Oitava Parte
A VIVÊNCIA CRISTÃ

1. Dias de penitência para toda a Igreja

Jejum e abstinência: Quarta-feira de Cinzas e Sexta-feira Santa. O jejum é válido para os adultos de 18 a 60 anos, a abstinência de carne é válida para todos a partir dos 14 anos. Em todas as demais sextas-feiras, o cristão deve oferecer algum gesto concreto de penitência, de caridade ou de piedade.

2. Virtudes

– **Teologais:** Fé, Esperança e Caridade.
– **Cardeais:** Prudência, Justiça, Fortaleza e Temperança.

3. Vícios capitais

Soberba – Avareza – Erotismo – Inveja – Gula – Ira – Preguiça.

4. Pecados hediondos

Homicídio voluntário – Pecado sexual contra a natureza – Oprimir os pobres, órfãos e viúvas – Negar o justo salário aos que trabalham.

5. Obras de misericórdia (Mt 25,31-46)

Corporais:
– Dar de comer a quem tem fome;
– Dar de beber a quem tem sede;
– Vestir os nus;
– Dar abrigo aos peregrinos;
– Visitar os doentes e encarcerados;
– Libertar os escravizados;
– Sepultar os mortos.

Espirituais:
– Dar bom conselho;
– Ensinar os que não sabem;
– Corrigir os que erram;
– Consolar os aflitos;
– Perdoar as ofensas;
– Suportar as fraquezas do próximo;
– Orar pelos vivos e defuntos.

6. Os sete dons do Espírito Santo

Sabedoria – Entendimento – Conselho – Fortaleza – Ciência – Piedade – Temor de Deus.

7. Orações do cristão

a) Oração da manhã
Em nome do Pai e do Filho e do Espírito Santo. Amém. Senhor Deus, nosso Pai, nós cremos em vós. Nós esperamos em vós. Nós vos amamos. Nós vos agradecemos mais este dia que começa. Nós vos damos graças, porque estamos com vida e nós vos oferecemos este dia com todas as nossas alegrias e sofrimentos, com todos os nossos trabalhos e divertimentos. Guardai-nos do pecado e fazei de nós um instrumento da vossa paz e do vosso amor. Ajudai-nos a observar os vossos mandamentos. Amém.

(Reze três Ave-Marias a Nossa Senhora, com a invocação:)
Ó Maria, concebida sem pecado, rogai por nós que recorremos a vós!

b) O anjo do Senhor
V. O anjo do Senhor anunciou a Maria.
R. E ela concebeu do Espírito Santo. Ave, Maria...

V. Eis aqui a serva do Senhor.
R. Faça-se em mim segundo a vossa palavra. Ave, Maria...
V. E o verbo se fez carne.
R. E habitou entre nós. Ave-Maria...
V. Rogai por nós, Santa Mãe de Deus.
R. Para que sejamos dignos das promessas de Cristo.
Oremos: Infundi, Senhor, vos rogamos, a vossa graça em nossos corações, para que nós, que conhecemos pela anunciação do anjo a encarnação de Jesus Cristo, vosso Filho, por sua paixão e morte na Cruz, cheguemos à glória da ressurreição. Pelo mesmo Cristo, nosso Senhor. Amém.

c) Oração ao Anjo da Guarda: Santo Anjo do Senhor, meu zeloso guardador, se a ti me confiou a piedade divina, sempre me rege, guarda, governa e ilumina. Amém.

d) Sinal da Cruz: Pelo sinal † da Santa Cruz, livrai-nos, Deus † Nosso Senhor, dos nossos † inimigos. Em nome do Pai e do Filho e do Espírito Santo. Amém.

e) Pai-Nosso: Pai nosso, que estais nos céus, santificado seja o vosso nome; venha a nós o vosso reino; seja feita a vossa vontade, assim na terra como no céu.

O pão nosso de cada dia nos dai hoje; perdoai-nos as nossas ofensas; assim como nós perdoamos a quem nos tem ofendido e não nos deixeis cair em tentação, mas livrai-nos do mal. Amém.

f) Ave, Maria: Ave, Maria, cheia de graça, o Senhor é convosco, bendita sois vós entre as mulheres, bendito é o fruto do vosso ventre, Jesus.

Santa Maria, Mãe de Deus, rogai por nós, pecadores, agora e na hora de nossa morte. Amém.

g) Glória ao Pai: Glória ao Pai, ao Filho e ao Espírito Santo. Como era no princípio, agora e sempre. Amém.

h) Oração ao Espírito Santo: Vinde, Espírito Santo, enchei os corações dos vossos fiéis e acendei neles o fogo do vosso amor. Enviai o vosso Espírito e tudo será criado. E renovareis a face da terra.

Oremos: Deus, que instruístes os corações dos vossos fiéis com a luz do Espírito Santo, fazei que apreciemos retamente todas as coisas segundo o mesmo Espírito e gozemos sempre de sua consolação. Por Cristo, Senhor nosso. Amém.

i) Salve, Rainha: Salve, Rainha, Mãe de misericórdia, vida, doçura e esperança nossa, salve! A vós bradamos, os degredados filhos de Eva; a vós suspiramos, gemendo e chorando neste vale de lágrimas. Eia, pois, Advogada nossa, esses vossos olhos misericordiosos a nós volvei e depois deste desterro mostrai-nos Jesus, bendito fruto do vosso ventre, ó clemente, ó piedosa, ó doce sempre Virgem Maria! Rogai por nós, Santa Mãe de Deus, para que sejamos dignos das promessas de Cristo. Amém.

j) Ato de Fé: Ó meu Deus, creio em vós, porque sois a Verdade eterna. Creio em tudo o que a Santa Igreja me ensina. Aumentai a minha fé!

k) Ato de Esperança: Ó meu Deus, espero em vós, porque, sendo infinitamente poderoso e misericordioso, sois sempre fiel em vossas promessas. Fortificai minha esperança!

l) Ato de Amor: Ó meu Deus, eu vos amo de todo o meu coração, porque sois infinitamente bom e amável. Por vosso amor amo também a meu próximo. Inflamai o meu amor!

m) Ato de Contrição: Senhor, eu me arrependo sinceramente do mal que pratiquei e do bem que deixei de fazer. Reconheço que ofendi a vós, meu Deus e Senhor, e prejudiquei o meu próximo. Prometo, ajudado pela vossa graça, não mais pecar e reparar o mal que pratiquei. Pela paixão e morte de Jesus, tende piedade de mim e perdoai-me. Amém.

n) Oração para as refeições
Antes: Abençoai-nos, Senhor, e a este alimento que vamos tomar, graças a vossa bondade. *Pai Nosso...*
Depois: Nós vos agradecemos, Deus todo-poderoso, todos os benefícios que nos fizestes, especialmente este alimento que acabamos de tomar. *Ave, Maria...*

o) Oração da noite: Ó meu Deus, eu vos amo de todo o meu coração. Dou-vos graças por todos os benefícios que me fizestes, especialmente por me haverdes feito cristão e conservado durante este dia. Creio em vós. Espero em vós. Ofereço-vos tudo o que hoje fiz de bom e peço-vos que me livreis de todo o mal. *(Exame de consciência.)*

Este livro foi composto com as famílias tipográficas Caslon, Tiepolo e Tiffany
e impresso em papel offset 75g/m² pela **Gráfica Santuário**.